GUERRE MONDIALE 1

1914-1918

Tana
éditions

ET L'EUROPE EXPLOSA...

SARAJEVO – 28 juin 1914

L'HÉRITIER DU TRÔNE D'AUTRICHE ASSASSINÉ !

Dans sa voiture, l'archiduc Fran-çois-Ferdinand roule vers l'hôtel de ville de Sarajevo où l'attend une réception. Cet homme de 51 ans est le futur empereur d'Autriche-Hon-grie ; il occupera le trône lorsque son oncle, l'actuel empereur François-Joseph, viendra à mourir. En atten-dant, le voilà inspecteur général des forces militaires. C'est à ce titre qu'il est à Sarajevo, capitale de la Bosnie-Herzégovine – l'une des provinces du vaste Empire austro-hongrois. Alors qu'elle emprunte un quai le long de la rivière Miljacka, la voiture reçoit une bombe. L'engin rebondit sur la capote repliée et explose à l'arrière. L'archiduc est indemne mais des officiers de sa suite sont touchés. François-Ferdi-nand se rend malgré tout à l'hôtel de ville, puis, au terme de la réception, souhaite visiter les blessés conduits à l'hôpital militaire. La voiture repasse le long du quai, très vite cette fois, mais le chauffeur se trompe d'itiné-raire. Il ralentit, fait demi-tour. C'est alors qu'un jeune homme, sorti de la foule, tire deux balles fatales pour l'archiduc et son épouse.

L'enquête révèle que pas moins de sept terroristes étaient postés le long du trajet. La plupart sont très jeunes ; pour cette raison, ils ne seront pas condamnés à mort. Leur objectif : chasser les Autrichiens de Bosnie. Le tireur se nomme Gavrilo Princip ; il a 19 ans ; c'est un Serbe né en Bosnie.

VIENNE – 23 juillet 1914

L'AUTRICHE ENVOIE UN ULTIMATUM À LA SERBIE

SARAJEVO, SERBIE, OÙ EST LE LIEN?

Le vieil empereur François-Joseph accueille la nouvelle de l'attentat les yeux secs: il avait peu d'affection pour son neveu. Très vite, les policiers autrichiens en Bosnie découvrent que les armes des terroristes viennent de Serbie. Les aveux de Princip et de ses complices laissent penser qu'ils sont en partie téléguidés par des nationalistes serbes, très actifs mais assez peu nombreux. Le gouvernement serbe, dirigé par le Premier ministre Nicolas Pasic, n'est en tout cas pas impliqué dans l'affaire. Mais les Autrichiens s'en moquent: l'occasion est trop belle pour, froidement, détruire la Serbie une fois pour toutes.

LA SERBIE: PETITE MAIS GÊNANTE

Pour l'Autriche-Hongrie la Serbie est une épine dans le pied qui risque de s'envenimer à tout moment. Au Moyen Âge, la Serbie était une puissance; en 1914, ce n'est qu'un petit pays de 2 millions d'habitants, qui a arraché son indépendance aux Turcs quarante ans plus tôt. Un certain nombre de Serbes ont la nostalgie de l'âge d'or médiéval. Ceux-là désirent rassembler tous les Serbes, où qu'ils soient, dans une «Grande Serbie». Seulement voilà, beaucoup de Serbes vivent dans l'État austro-hongrois, en Croatie et en Bosnie-Herzégovine notamment: comment les rattacher à la Serbie si ce n'est par la force? Facile, dans ces conditions, de comprendre l'inquiétude de Vienne après l'attentat de Sarajevo. D'autant plus que l'Empire austro-hongrois est un puzzle de peuples très différents (carte ci-contre en bas), qui risqueraient, en cas de succès serbe, de se mettre à réclamer leur indépendance. D'où la conclusion de Vienne: pour sauver l'empire, il faut liquider le mauvais exemple serbe.

L'ALLEMAGNE SOUTIENT L'AUTRICHE

Depuis 1879, les deux pays sont alliés dans le cadre de la Double Alliance, ou Duplice. Ils se promettent assistance mutuelle en cas de guerre, et leur principal ennemi potentiel n'est autre que la Russie. L'Italie les rejoint en 1882 pour former la Triple Alliance ou Triplice, mais Allemands et Autrichiens n'ont guère confiance dans ce nouvel allié. Les Allemands savent bien qu'une attaque contre la Serbie pourrait faire réagir les Russes. Mais ils prennent ce risque d'élargir le conflit car l'Autriche-Hongrie est leur seul «ami» de poids en Europe. Un ami mal en point en 1914 et qui a besoin de réagir à l'attentat pour montrer à l'Europe qu'il reste redoutable. Sans l'appui allemand, les Autrichiens seraient restés plus prudents, et la guerre aurait sans doute pu être évitée.

SAINT-PETERSBOURG 30 juillet 1914

LES RUSSES MOBILISENT LEUR ARMÉE POUR SECOURIR LES SERBES

LA GUERRE COMMENCE EN SERBIE

L'ultimatum autrichien était une suite de dix demandes adressées au gouvernement serbe. Ce dernier n'avait que 48 heures – un délai incroyablement court – pour y répondre. La Serbie dit

UN EMPIRE BRANLANT

L'Autriche-Hongrie est une mosaïque d'une trentaine de peuples, qui ne parlent pas la même langue et qui, souvent, n'ont pas la même religion. Si encore tous étaient traités sur le même pied. Mais non! Deux peuples accaparent les leviers de commande: les Autrichiens (qui sont de langue allemande) et les Hongrois. Alors, forcément, les peuples dominés rêvent de quitter l'empire pour aller vivre une vie indépendante. Notamment les Tchèques et les Polonais.

Les Roumains de l'empire espèrent, eux, être un jour réunis avec ceux de Roumanie; de même des Italiens du Trentin et de l'Istrie qui lorgnent du côté de l'Italie. Mais le problème le plus grave est celui des Serbes. Ils sont 2 millions dans l'empire, en Croatie et en Bosnie (autour de Sarajevo). Presque tous n'aspirent qu'à une chose: rejoindre leurs frères indépendants de Serbie. Voilà pourquoi l'Autriche-Hongrie pense que sa survie se joue à Sarajevo.

Légende de la carte:
- Empire d'Autriche-Hongrie
- **ALLEMANDS** Peuples dominants
- TCHÈQUES Peuples dominés
- Zones de tension

oui à tout, à l'exception du point 6 qui imposait aux policiers et juges serbes d'accepter, dans leur propre pays, la présence d'enquêteurs autrichiens. Inacceptable pour n'importe qui! Si bien que le 25 juillet, les Serbes ont refusé l'ultimatum, à la grande satisfaction des Autrichiens. Et le 29, leur capitale, Belgrade, est bombardée.

LES RUSSES JOUENT AVEC LE FEU

Les Serbes sont un peuple d'origine slave, tout comme les Russes. Ils partagent avec eux une religion (orthodoxe), une écriture (à base d'alphabet cyrillique), un art influencé par Byzance… Bref, entre l'« ogre » russe et le « petit poucet » serbe, il y a affinités. Et c'est ce courant de sympathie qui, dans les villes, a poussé l'opinion publique

russe indignée à exiger une réaction du tsar. Hélas, le tsar Nicolas II, de caractère faible, se laisse entraîner dans l'aventure. En décidant de se mêler à une guerre « régionale » entre Autrichiens et Serbes, la Russie va jouer un terrible rôle d'accélérateur vers un conflit européen.

BERLIN – 1er août 1914

LES ALLEMANDS MOBILISENT À LEUR TOUR

LES ALLEMANDS MENACÉS À L'EST

L'armée russe, grosse de 1,3 million d'hommes, peut aligner plus de soldats que l'armée allemande. Certes, elle est moins bien équipée,

moins bien commandée, mais elle possède d'excellentes mitrailleuses Maxim, une cavalerie cosaque redoutable et une réputation de « rouleau compresseur ». En théorie, c'est un danger terrible.

LA FRANCE ET LA RUSSIE SOLIDEMENT ALLIÉES

Environ 2 500 km séparent Paris de Moscou: deux pays si distants peuvent-ils vraiment se porter secours? Oui, quand leur principal ennemi potentiel, l'Allemagne, est situé entre eux! Voilà pourquoi, en 1892, le tsar Alexandre III (mort en 1894), malgré sa méfiance à l'égard de la France, a accepté une alliance militaire. Pour les Français et les Russes, l'intérêt est le même: en cas de guerre, contraindre les Allemands à diviser leurs forces en se battant sur deux fronts, à l'est et à l'ouest.

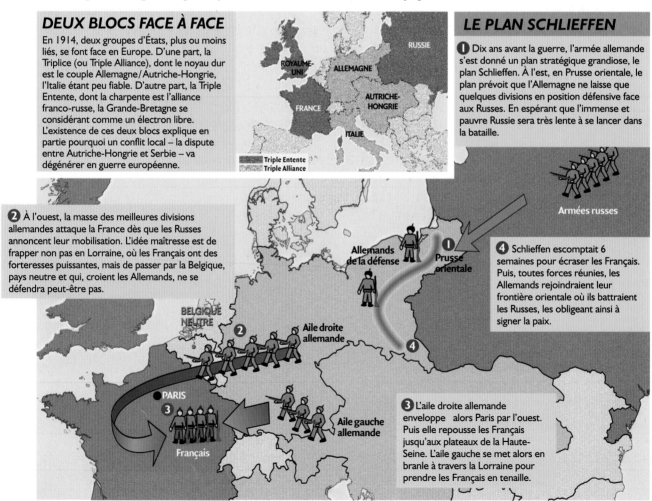

DEUX BLOCS FACE À FACE

En 1914, deux groupes d'États, plus ou moins liés, se font face en Europe. D'une part, la Triplice (ou Triple Alliance), dont le noyau dur est le couple Allemagne/Autriche-Hongrie, l'Italie étant peu fiable. D'autre part, la Triple Entente, dont la charpente est l'alliance franco-russe, la Grande-Bretagne se considérant comme un électron libre. L'existence de ces deux blocs explique en partie pourquoi un conflit local – la dispute entre Autriche-Hongrie et Serbie – va dégénérer en guerre européenne.

Triple Entente
Triple Alliance

LE PLAN SCHLIEFFEN

❶ Dix ans avant la guerre, l'armée allemande s'est donné un plan stratégique grandiose, le plan Schlieffen. À l'est, en Prusse orientale, le plan prévoit que l'Allemagne ne laisse que quelques divisions en position défensive face aux Russes. En espérant que l'immense et pauvre Russie sera très lente à se lancer dans la bataille.

Armées russes

❷ À l'ouest, la masse des meilleures divisions allemandes attaque la France dès que les Russes annoncent leur mobilisation. L'idée maîtresse est de frapper non pas en Lorraine, où les Français ont des forteresses puissantes, mais de passer par la Belgique, pays neutre et qui, croient les Allemands, ne se défendra peut-être pas.

Allemands de la défense

Prusse orientale

❹ Schlieffen escomptait 6 semaines pour écraser les Français. Puis, toutes forces réunies, les Allemands rejoindraient leur frontière orientale où ils battraient les Russes, les obligeant ainsi à signer la paix.

BELGIQUE NEUTRE

Aile droite allemande

PARIS
❸

Français

Aile gauche allemande

❸ L'aile droite allemande enveloppe alors Paris par l'ouest. Puis elle repousse les Français jusqu'aux plateaux de la Haute-Seine. L'aile gauche se met alors en branle à travers la Lorraine pour prendre les Français en tenaille.

LE PLAN ALLEMAND HYPERDANGEREUX

Le plan d'attaque des armées allemandes porte le nom de son ancien chef, Schlieffen. Il vise à casser l'étau franco-russe en attaquant d'abord la France, qu'il convient d'abattre en six semaines avant de se retourner contre la Russie, jugée plus longue à mobiliser ses troupes. Pour vaincre aussi vite la France sans se casser les dents sur ses fortifications frontalières, l'Allemagne compte procéder en trois temps : 1) envahir la Belgique ; 2) déborder les Français par leur flanc ouest ; 3) les rabattre sur la frontière allemande où les attendent des troupes solides. Autrement dit, la France doit faire l'objet d'une guerre préventive rapide, même si elle ne menace pas directement l'Allemagne. Le plan Schlieffen est un mécanisme dangereux : il impose aux Allemands d'attaquer la France **dès que les russes font mine de mobiliser.**

PARIS – 1er août 1914

EN REFUSANT DE RESTER NEUTRE, LA FRANCE ACCEPTE UNE GUERRE QU'ELLE N'A PAS VOULUE

Les Allemands, par leur ambassadeur à Paris, demandent au gouvernement français dirigé par René Viviani s'il compte rester neutre en cas de guerre russo-allemande. Mais qui peut croire sérieusement que la France va rester les bras ballants face à son vieil ennemi allemand, sans secourir son allié russe ? Surtout lorsque le chancelier d'Allemagne, Bethmann Hollweg, demande, en garantie de la neutralité française,

qu'on lui livre les forteresses de Toul et Verdun ? Accepter ces conditions-là serait une terrible preuve de faiblesse. Par cette proposition, les Allemands veulent donner l'illusion qu'ils laissent une chance à la paix. Les Français n'ont finalement guère le choix. À partir du 1er août, en découvrant les affiches de mobilisation, ils acceptent la guerre sans joie mais avec résolution.

LONDRES – 4 août 1914

L'ANGLETERRE ENTRE EN GUERRE AU CÔTÉ DES FRANÇAIS

EN GUERRE POUR LA BELGIQUE

Le Royaume-Uni a signé avec la France (1904) et la Russie (1907) des traités de bonne entente ; ce trio de pays forme ce qu'on appelle la « Triple Entente ». Une sorte d'alliance molle, qui ne prévoit rien de précis en cas de guerre. En vérité, c'est pour une autre raison que les Britanniques interviennent en 1914.

En 1839, ils ont signé un traité qui reconnaît la Belgique comme un État neutre, ce qui implique que nul ne peut embêter les Belges sans avoir affaire à l'Angleterre. Or, l'Allemagne a besoin de traverser rapidement la Belgique pour appliquer son plan Schlieffen ; ce faisant, elle viole sa neutralité. Les Britanniques craignent que la présence des Allemands sur le sol belge, et leur éventuelle victoire sur la France, ne bouleverse tout l'équilibre de l'Europe. Peut-être même, qui sait, seraient-ils un jour tentés d'envahir l'Angleterre ? L'empereur allemand Guillaume II – qui envie la marine de guerre anglaise mais méprise son

armée de terre – a cru qu'il pourrait forcer la Belgique sans faire de vagues ; il s'est très lourdement trompé.

QUI A VOULU LA GUERRE ?

Grand dieu, personne, à écouter les hommes d'État ! Chacun a sa bonne conscience pour lui. Les Autrichiens ont le sentiment d'une juste vengeance de l'attentat de Sarajevo. Les Russes et les Allemands ne veulent pas laisser tomber un pays ami. Mieux : chacun, à l'exception des Russes, a l'impression d'être en légitime défense. Les Autrichiens se sentent menacés par les agitateurs serbes, les Allemands par les Russes, les Français et les Anglais par les Allemands. Bref, personne n'a voulu d'une guerre générale. Mais plusieurs gouvernements – autrichien, allemand, russe au premier chef – ont pris le risque délibéré de la voir éclater et ont jeté de l'huile sur le feu. C'est encore une époque où la guerre semble à tous une fatalité, comme la grêle ou la sécheresse. Une fatalité qu'on accepte d'autant plus facilement que le conflit durera, croit-on, trois ou quatre mois…

1 562 JOURS DE GUERRE

La Grande Guerre
mérite bien son nom.
Elle fut grande par le sang
versé, la durée des
combats, l'étendue des
fronts, les conséquences
calamiteuses qu'elle
engendra. Panorama
des principaux
événements.

Les destructions provoquées
par le conflit défigureront pour
longtemps le paysage français.
Certains villages seront
entièrement détruits.

1914, L'ÉCHEC DE LA GUERRE DE MOUVEMENT

« Nous serons à la maison avant Noël », croient tous les belligérants. Mais l'échec des plans militaires dévoile la vérité toute nue : cette guerre sera longue.

À l'été 1914, les Allemands submergent la Belgique. Rien ne semble alors pouvoir arrêter la meilleure armée du monde.

sieurs divisions en Belgique pour les envoyer à l'est : ces troupes manqueront aux Allemands lors de la bataille de la Marne et elles arriveront trop tard en Prusse. Car, du 26 au 29 août, à Tannenberg, les Russes sont écrasés puis refoulés par les généraux Hindenburg et Ludendorff. Aux yeux des Allemands, ces deux noms deviennent synonymes de miracle.

À gauche, Joffre, commandant en chef des armées françaises, vient encourager ses soldats à partir à l'assaut sur la Marne

LA DÉFERLANTE ALLEMANDE

L'attaque allemande est foudroyante. En application du plan Schlieffen, 800 000 hommes franchissent la frontière belge début août. L'armée belge résiste mais, écrasée par le nombre, elle doit se retirer dans la forteresse d'Anvers. Les Allemands entrent à Bruxelles, battent Français et Britanniques à Charleroi et à Mons : les frontières de la France sont forcées, la route de Paris ouverte.

Pendant ce temps, en Lorraine, les Français attaquent follement et… se font massacrer par les canons lourds allemands : 27 000 morts pour la seule journée du 22 août, « le jour le plus sanglant de notre histoire », d'après l'historien Henry Contamine. Le 30 août, pour éviter la destruction de ses armées, le commandant en chef, Joffre, ordonne la retraite générale vers la Seine. Le 2 septembre, le gouvernement abandonne Paris pour Bordeaux avec 500 000 Parisiens pris de panique. La partie semble perdue. Courageusement, les Russes volent au secours des Français. Ils attaquent l'Allemagne en Prusse orientale, sa région la plus à l'est, dès la mi-août, plus tôt que prévu. Le général en chef allemand, Moltke, prélève alors plu-

MIRACLE SUR LA MARNE

Joffre ne perd pas son sang-froid. Il limoge une centaine de généraux incompétents, ramène des troupes de Lorraine pour les masser à Paris et sur la Marne. Le 2 septembre, des aviateurs découvrent qu'une des armées allemandes, celle de von Kluck, change de direction. Au lieu d'envelopper Paris par l'ouest, elle fonce vers le sud-est, négligeant la capitale. Le général von Kluck n'a pas vraiment commis d'erreur : il n'a tout simplement pas assez de soldats pour assiéger la capitale et croit les Français trop fatigués pour contre-attaquer.

Le général Gallieni, gouverneur de Paris, voit aussitôt le coup à jouer : lancer l'armée de Paris sur les flancs découverts de von Kluck. Joffre reprend l'idée. Le 5 septembre, il lance un ordre d'attaque générale. Épuisés par trois semaines de retraite, les Français se ruent pourtant à l'assaut. Avec d'autant plus d'ardeur qu'ils sont maintenant en nombre supérieur à leurs adversaires éparpillés entre la Belgique et la Marne. Une immense bataille s'engage sur 300 km, entre Verdun et Paris, parallèlement à la Marne. Le 10 septembre, pour éviter l'encerclement, les Allemands sont contraints d'opérer à leur tour une retraite jusqu'à l'Aisne. Les Français, épuisés, ne peuvent les poursuivre. Mais, pour eux, l'essentiel est gagné : le plan Schlieffen a échoué.

LA RUÉE D'AOÛT 14

Trois armées allemandes submergent la Belgique en dépit de la résistance belge. Puis elles battent les Français à Charleroi et les Britanniques à Mons pendant que les deux offensives françaises prévues par le plan XVII, en Lorraine et dans les Ardennes, sont de sanglants fiascos. Dans un élan irrésistible, les Allemands passent l'Oise puis la Marne, poussant devant eux les Alliés en retraite. Mais le commandant en chef, Joffre, observe que l'ennemi néglige le camp retranché de Paris et qu'il s'affaiblit en laissant des garnisons derrière lui…

LA MARNE

Début septembre, Joffre lance une contre-offensive générale de Paris à Verdun (1), parallèlement à la Marne. Pour ne pas être encerclés, les Allemands reculent jusqu'à l'Aisne (2), où ils s'enterrent. Paris est sauvé ! Puis, les Allemands tentent d'occuper les ports de la Manche : c'est la course à la mer (3). Mais Français, Britanniques et Belges les en empêchent au cours de dizaines de combats confus et sanglants. En décembre, l'ensemble du front se fige dans la boue.

LA COURSE À LA MER

Après la Marne, Français et Allemands étendent leur front vers l'ouest, vers la mer. Chacun tente de déborder l'autre pour contrôler les ports de la Manche où débarquent les troupes anglaises. Plusieurs batailles confuses se déroulent jusqu'en novembre, occasionnant des pertes épouvantables. Les Allemands prennent Lille mais les Français réussissent à conserver tous les ports.

Par un tour de force, l'armée belge s'échappe d'Anvers et vient s'établir derrière un petit fleuve, l'Yser. Mais elle doit ouvrir les écluses et inonder une partie de la plaine flamande pour stopper les Allemands.

LES TURCS ENTRENT DANS LA DANSE

Le 2 novembre, la Turquie rejoint le camp allemand. C'est une catastrophe pour les Alliés. Car, par mer, la Russie est surtout accessible via le détroit de Constantinople. Celui-ci étant fermé par les Turcs, la Russie se retrouve isolée de la France et de l'Angleterre. Il va devenir très difficile de lui faire parvenir les canons et les munitions dont elle manque cruellement.

Premiers travaux de terrassement du front côté français. Ces tranchées vont devenir la maison des poilus.

TRISTE NOËL

À la fin de 1914, les belligérants sont sonnés. Déjà plus d'un million d'hommes sont morts. Les canons ont tiré vingt fois plus d'obus que prévu ! Il n'y a plus de munitions en stock, il faut mobiliser les usines à toute vitesse. Amère découverte pour les militaires : ils ont dorénavant besoin de l'arrière pour continuer le combat. La guerre a pris un visage inattendu. À l'ouest, de la mer du Nord à la Suisse, Allemands et Alliés seront en effet enterrés dans des tranchées, sur un front continu de 650 km de long. Fini la guerre de mouvement et les charges au clairon : les soldats se font terrassiers et la ligne de feu se fige dans la boue pour quatre ans.

1915, L'ENLISEMENT

Le dilemme des Alliés: rompre le front allemand en France? Ou s'en prendre au maillon faible, la Turquie? Pour les Allemands, le problème est plus simple: il faut liquider le front russe.

En haut : des prisonniers russes en Pologne. Les Français découvrent la faiblesse militaire de leurs alliés orientaux.

Ci-dessus : à Souain, en Champagne, des poilus épuisés par l'attaque.

LE CALVAIRE RUSSE

La stratégie du nouveau commandant en chef allemand, Falkenhayn, est simple : il faut d'abord obliger les Russes à sortir du conflit, pour mieux écraser ensuite les Français. Aussi, les Allemands et leurs alliés austro-hongrois déclenchent-ils une série d'offensives à l'est. De février à octobre, leurs armées avancent de 500 km, s'emparant de la Pologne. Les Russes perdent 2 millions d'hommes.

Malgré cette énorme défaite, le tsar de Russie, Nicolas II, répond par un non définitif aux offres de paix allemandes : il reste fidèle à ses alliés français et britanniques. C'est donc raté pour Falkenhayn : le Russe reste debout, l'Allemagne doit continuer à se battre sur deux fronts.

L'ITALIE REJOINT LES ALLIÉS : UNE FAUSSE JOIE…

En août 1914, l'Italie n'avait pas voulu honorer son alliance avec l'Allemagne : elle était restée neutre. Les Alliés réussissent à l'attirer dans leur camp en lui faisant miroiter des conquêtes dans les Alpes et les Balkans. Aussi, le 23 mai, l'Italie déclare la guerre à l'Autriche-Hongrie. Son million de soldats va-t-il faire pencher la balance ? Las ! Cette armée, qui manque de matériel moderne, lance en vain de sanglantes offensives frontales. Aussi le front s'immobilise-t-il immédiatement dans les Alpes, n'apportant aucun soulagement aux Alliés.

LA CHUTE DE LA SERBIE

Le désastre des Dardanelles a de graves conséquences. Sentant le vent tourner en faveur de l'Allemagne, les Bulgares la rejoignent dans le conflit : ils attaquent la Serbie par-derrière en

L'INFANTERIE FRANÇAISE SACRIFIÉE

Joffre croit que la rupture du front allemand est possible, ce qui permettrait de sortir du face-à-face immobile dan les tranchées pour reprendre une guerre de mouvement. De plus, il doit soulager les Russes en obligeant les Allemands à maintenir le maximum de troupes en France. En mars, mai et septembre, il lance des offensives générales en Champagne et en Artois. Toutes sont de terribles échecs.

D'autres attaques, secondaires celles-là, sont menées en Argonne et aux Éparges, non loin de Verdun. Au prix d'un bain de sang, les poilus enlèvent une crête, une colline, un bois. Mais, épuisés, ils ne peuvent soutenir la contre-attaque ennemie et perdent le bénéfice de leur attaque. Comme Joffre ne tolère aucun recul, il faut alors contre-attaquer pour reprendre la crête, la colline, le bois. Et ainsi de suite… «Je les grignote», affirme Joffre. En réalité les pertes françaises sont le double de celles des Allemands. Et par peur des réactions de l'opinion, le gouvernement et les militaires n'osent pas divulguer les chiffres : 350 000 morts français en 1915, la pire année de la guerre…

Les troupes britanniques attaquent bravement à Gallipoli. Mais les Turcs ne céderont pas.

DÉSASTRE ALLIÉ AUX DARDANELLES

En février, des unités turques encadrées par des officiers allemands atteignent le canal de Suez, en Égypte. Les Anglais les repoussent mais ils ont eu grand peur : cette voie maritime est une artère vitale pour eux. Dès lors, ils sont prêts à écouter la proposition audacieuse de Winston Churchill, premier lord de l'Amirauté : attaquer les Turcs au cœur de leur empire, à Constantinople. Les Français finissent par accepter ce projet car il faut coûte que coûte rouvrir une voie de ravitaillement vers l'allié russe déjà à bout de forces.

La route de Constantinople passe par un détroit resserré, les Dardanelles, lui-même protégé par la péninsule de Gallipoli. C'est là qu'on décide de débarquer. Mais l'affaire est montée avec tant de lenteur que les Turcs ont le temps de fortifier Gallipoli. En février, les Alliés tentent de forcer les détroits par la mer. Échec qui leur coûte 7 gros navires sur 18! En avril, ils essaient par la terre : 80 000 hommes sont débarqués… au pire endroit de la péninsule de Gallipoli. Ils sont cloués sur le rivage par un feu d'enfer. Toutes les attaques échouent. Piteusement, le corps expéditionnaire est évacué en janvier 1916. Encore 150 000 hommes hors de combat pour rien.

octobre. Les Français tentent d'aider leur allié en envoyant une petite armée à Salonique, un port grec. Situation étrange puisque la Grèce est neutre… Mais cette « armée d'Orient » ne parvient pas à rejoindre les Serbes et elle doit s'enfermer dans le « camp retranché de Salonique ». Seuls face aux Allemands, aux Autrichiens et aux Bulgares, les Serbes sont submergés. Les débris de leur armée abandonnent le sol national et, en plein hiver, traversent les montagnes d'Albanie pour rejoindre la côte. La flotte française les attend pour les transporter dans l'île de Corfou puis, de là, à Salonique.

C'est alors que les Allemands commettent une erreur : ils négligent d'aller débusquer les Français de Salonique. Le chef de ceux-ci, le général Sarrail, va entamer un long combat pour faire basculer les Grecs dans son camp et convaincre les Alliés de lui envoyer des renforts. Ce petit front oublié fera reparler de lui en 1918…

FAILLITE ALLIÉE DANS LES BALKANS

En (1), les Alliés débarquent à Gallipoli pour forcer les détroits turcs et porter secours aux Russes en difficulté. Terrible échec! Les Bulgares jugent que c'est alors le bon moment pour passer dans le camp allemand. En (2), ils attaquent les Serbes, de concert avec les Allemands et les Autrichiens. Pour échapper à la capture, l'armée serbe retraite jusqu'à la mer (3), où la flotte française la transporte à Corfou (4) et, de là, à Salonique. Fin 1915, le camp retranché de Salonique demeure la seule base alliée dans les Balkans.

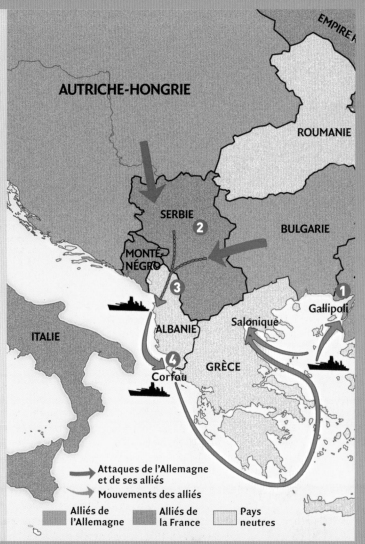

AUTRICHE-HONGRIE

EMPIRE

ROUMANIE

SERBIE

BULGARIE

MONTÉ-NÉGRO

Gallipoli

ALBANIE

Salonique

ITALIE

GRÈCE

Corfou

→ Attaques de l'Allemagne et de ses alliés
→ Mouvements des alliés

Alliés de l'Allemagne Alliés de la France Pays neutres

1916, LA GUERRE D'USURE

*Produire de plus en plus d'obus pour tuer de plus en plus de soldats :
c'est à cette impasse que parviennent les militaires des deux camps.
Avec, à la clé, les deux plus grandes batailles de la guerre.*

Des tirailleurs sénégalais en route vers le front. Contrairement à une légende tenace, leurs pertes n'ont pas été supérieures à celles de leurs camarades français.

DES SOLDATS !

1914 et 1915 ont été deux années d'hécatombe. Rien que du côté français, 680 000 tués et 1,5 million de blessés ! Il faut sans cesse combler les vides creusés dans les régiments, et par tous les moyens. Les jeunes de 19 ans sont appelés au front, un an plus tôt que prévu. Des hommes de 40 à 48 ans y sont maintenus. D'autres, qui avaient d'abord été exemptés pour raisons physiques, sont finalement appelés. Au total, 8 millions de Français seront mobilisés, sur une population de 39 millions : une proportion inégalée parmi les belligérants, Serbie exceptée. Mais ça ne suffit pas. Aussi l'armée française fait-elle appel à des troupes coloniales. Deux cent vingt-trois mille Maghrébins, en majorité algériens, 135 000 Noirs d'Afrique (Sénégalais surtout), 43 000 Indochinois, 31 000 Malgaches, rejoignent les tranchées.

DES OUVRIERS !

En France, comme ailleurs, ce fabuleux effort industriel ne pouvait se faire qu'avec des masses croissantes de travailleurs. Mais où les trouver alors que quasiment tous les hommes valides sont au front ? D'urgence, on rappelle des tranchées 500 000 ouvriers spécialistes. Les journées de travail durent 12 heures, 7 jours sur 7. Un effort épuisant mais encore insuffisant. Il faudra faire venir 200 000 travailleurs des colonies françaises et 38 000 Chinois. Quatre cent trente mille femmes entrent aussi dans les usines, de même que 110 000 étrangers – Espagnols et Italiens, sans compter 40 000 prisonniers allemands et 13 000 mutilés.

DES OBUS !

Dans tous les pays, les gouvernements cherchent à accroître la production de matériel de guerre. En France, la situation est particulièrement grave. En effet, les Allemands occupent le nord du pays, qui fournissait les trois quarts du charbon et les deux tiers de l'acier, deux matériaux indispensables. Un sous-secrétariat d'État à l'armement est créé en 1915. Il passe des commandes massives aux industriels, trouve les matières premières à l'étranger, avance l'argent nécessaire aux achats de machines. L'entreprise Renault, à Boulogne-Billancourt, est en tête de ce formidable effort. Le nombre de ses ouvriers passe de 5 000 en 1914 à 23 000 en 1918. En quatre ans, elle fabrique 9 000 camions, 5 000 autres engins à roues, 2 000 chars d'assaut, 12 000 moteurs d'avions, 8 millions d'obus. Durant toute la guerre, 300 millions d'obus et 6,3 milliards de cartouches sortiront des usines françaises.

BLOCUS ANGLAIS

Les Anglais comprennent vite que ce conflit est autant économique que militaire. Aussi jouent-ils, dès 1914, d'une arme terrible, le blocus. Cela signifie que leurs bateaux de guerre – qui dominent les mers depuis un siècle – coulent tous les navires de commerce allemands, inspectent les cales des navires neutres (hollandais, danois, norvégiens…) et saisissent leurs marchandises si elles sont destinées à l'Allemagne ou à ses alliés. L'Allemagne ne peut plus importer ce qui lui manque, le blé, la viande, les engrais, le fer, le pétrole, le caoutchouc, et elle ne peut rien exporter par mer. Les Anglais font donc le pari d'asphyxier son économie et de l'acculer à demander la paix. Dès 1916, il y a des manifestations contre la faim dans les grandes villes allemandes. Les rations alimentaires baissent à 1 100 calories par jour quand il en faut 2 300. Sept cent cinquante mille personnes mourront de sous-alimentation.

CONTRE-BLOCUS ALLEMAND

Les Allemands ont deux parades possibles au blocus anglais, leurs sous-marins et leur flotte de combat.

Après la bataille du Jutland, le croiseur allemand Seydlitz, gravement touché, se traîne, à moitié submergé, jusqu'à son port.

Dès février 1915, les sous-marins – les U-Boote – coulent les navires de commerce alliés par centaines. Mais ils se gardent encore de torpiller les navires neutres, américains notamment, qui transportent aussi des marchandises pour les Alliés. Le 7 mai 1915, le sous-marin U-20 envoie par le fond le paquebot anglais Lusitania, qui revient d'Amérique. Mille deux cents passagers périssent, dont 128 citoyens américains. Les protestations de Washington sont si violentes que les Allemands doivent mettre leurs U-Boote en demi-sommeil.

Reste la flotte de combat allemande, très moderne, mais inférieure en nombre à celle des Anglais. À coup sûr, une bataille rangée tournerait à l'avantage de ceux-ci. Pourtant, à la suite d'un concours de circonstances, les deux flottes finissent par se retrouver face à face, le 31 mai 1916, en mer du Nord. La bataille dite du Jutland dure une dizaine d'heures. Deux cent cinquante monstres s'affrontent à coups de canon à grande distance. Les Allemands réussissent à s'échapper durant la nuit. Leurs pertes sont inférieures à celles des Anglais (11 navires coulés contre 14) mais ce sont bien les Anglais qui ont remporté cette bataille. Pour preuve, la flotte allemande n'osera plus sortir de ses ports.

Après cet échec, les chefs allemands s'affrontent. D'un côté, ceux qui veulent la « guerre sous-marine à outrance » : il faut couler tout ce qui flotte, neutres et Américains compris. De l'autre, ceux qui la refusent parce qu'ils redoutent de provoquer l'entrée en guerre des États-Unis. Ce dilemme ne sera résolu qu'en 1917.

Entre 1914 et 1918, il aura été fabriqué un milliard et demi d'obus !
Notez la forte proportion de femmes parmi les ouvriers.

« SAIGNER LES FRANÇAIS » : VERDUN

En 1916, pour les Allemands, l'Empire britannique est devenu l'ennemi principal, ses soldats arrivant maintenant par centaines de milliers en France. La seule façon de l'amener à demander la paix, estime le commandant en chef, Falkenhayn, c'est d'éliminer les Français du jeu. Or, ceux-ci ont eu des pertes énormes en 1915. Il faut maintenant les attaquer en un point vital pour eux et les amener à sacrifier leurs dernières réserves pour conserver ce point. « Saigner les Français à blanc », résumera Falkenhayn dans ses Mémoires. Le point où les Allemands tendent ce piège sanglant est la petite ville de Verdun. La tactique allemande est basée sur l'artillerie : une énorme concentration de canons écrasera chaque mètre carré de terrain, hanchant les défenseurs. Marchant derrière cette muraille de feu, les troupes n'auront plus qu'à occuper le terrain. Puis l'on recommencera le pilonnage un peu plus loin.

L'attaque démarre le 21 février à 7 h 15. Mille deux cent vingt-cinq canons déversent 2 millions d'obus sur un front d'à peine 8 km de large. Les premières lignes françaises sont broyées. Puis l'infanterie allemande s'avance dans un paysage lunaire, bouleversé, impraticable. Dans ces conditions, il suffit de quelques centaines de Français survivants pour bloquer à la mitrailleuse des bataillons entiers pendant de précieuses heures.

Un régiment embarque en camions. Cette petite route – la Voie sacrée – a acheminé des masses d'hommes et de matériels vers l'enfer de Verdun. Un exploit logistique.

VERDUN : ON NE PASSE PAS !

La bataille s'est déroulée dans un mouchoir de poche : le champ de bataille s'inscrit dans un rectangle de 20 km sur 10. Elle a duré dix mois, de février à décembre 1916. Dans une première phase, ce sont les Allemands qui avancent. Du 21 au 26 février, ils frappent au nord de Verdun, s'emparant du fort de Douaumont. Puis, en mars, ils attaquent sur les deux ailes. Enfin, de mars à juillet, ils lancent des offensives rageuses et sanglantes vers la ville de Verdun et le fort de Vaux, qui tombe le 7 juin. La seconde phase débute en octobre : en trois coups de boutoir, les Français reprennent tout le terrain perdu. Aucun endroit au monde n'a reçu autant d'obus au mètre carré… et autant de cadavres de soldats.

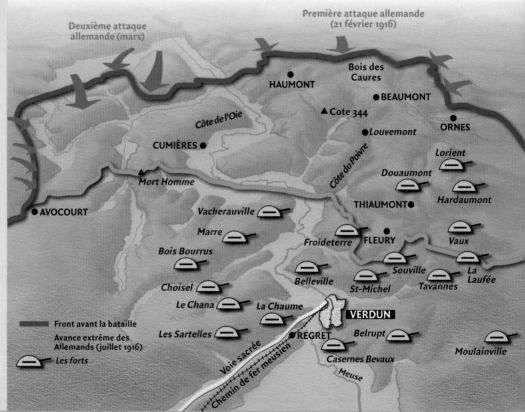

À la tombée de la nuit, l'avance allemande se résume à quelques centaines de mètres. La bataille va se poursuivre pendant dix mois ! Les Français vont d'abord reculer sous un feu d'enfer, perdant les forts de Douaumont et de Vaux. Mais les Allemands ont beau multiplier les coups de boutoir, s'approcher à 3 km de Verdun, ils n'obtiennent pas le renoncement espéré. Au contraire, les attaques et les contre-attaques se succèdent à un rythme hallucinant. Ainsi, en vingt-six jours, les ruines du village de Fleury changeront de mains seize fois !

Joffre a nommé un nouveau chef à Verdun, le général Pétain, qui galvanise la défense. Il organise le ravitaillement en hommes et en munitions par une route unique, la Voie sacrée, sur laquelle défile un camion toutes les quatorze secondes. Grâce à cela, les deux tiers de l'armée française passent par Verdun, à raison d'une division nouvelle tous les deux jours, ce qui évite aux soldats de rester trop longtemps en enfer. Les Allemands, eux, commettent l'erreur de laisser les mêmes troupes en ligne. À partir de juillet, Joffre déclenche sa grande offensive sur la Somme, obligeant les Allemands à passer sur la défensive à Verdun. Puis, durant l'automne, les Français reprennent tout le terrain perdu. Bilan : ils sont en effet saignés à blanc avec 162 000 tués. Mais les Allemands aussi : 143 000 morts. La guerre d'usure s'est retournée contre eux.

Des soldats britanniques et allemands blessés s'éloignent du calvaire boueux que fut l'offensive de la Somme.

LE DERNIER SURSAUT DES RUSSES

Les Allemands « accrochés » à l'ouest, les Russes rassemblent leurs dernières forces et attaquent en juin en Galicie. Cette région située au sud de la Pologne est défendue par des troupes allemandes et, surtout, austro-hongroises. En quelques semaines, les Russes avancent de 50 à 100 km et font 400 000 prisonniers.

Ce beau succès explique l'entrée en guerre des Roumains au côté des Alliés, le 27 août. Ceux-ci vont-ils tendre la main aux Français de Salonique et aux Russes en Galicie ? Nenni. Ils attaquent seuls en direction de la Hongrie. Résultat, en quelques mois, les Allemands et leurs alliés occupent toute la Roumanie et mettent la main sur le blé et le pétrole de ce pays, denrées précieuses en ces temps de blocus. Encore un échec, encore une désillusion pour les Alliés.

LA GRANDE BATAILLE DES BRITANNIQUES : LA SOMME

Joffre cherche encore la rupture du front allemand. Il décide de frapper un grand coup sur la Somme. Pour la première fois depuis 1914, l'effort principal va être fait par les Britanniques, qui disposent enfin d'une armée importante. Beaucoup de « Tommies », surnom des soldats anglais, sont des engagés volontaires (le service militaire est obligatoire en Grande-Bretagne seulement à partir de 1916), courageux mais, hélas, inexpérimentés.

L'attaque démarre le 1er juillet. Elle a été précédée d'une canonnade qui a duré six jours. Les premières heures sont terrifiantes. Les Anglais se heurtent à de puissantes fortifications enterrées, qui ont résisté aux obus. Ils perdent 19 240 tués et 35 000 blessés avant la nuit : le jour le plus sanglant de l'histoire anglaise. On se battra dans la boue pendant cinq mois puis les Alliés, épuisés, se résigneront à l'échec. Le bilan est pire qu'à Verdun : 420 000 Britanniques tués et blessés, 200 000 Français, 440 000 Allemands. Tout ça pour reprendre 25 villages, dont il ne reste pas une pierre.

Les généraux ont échoué. Joffre n'a jamais réussi sa percée : il est limogé, remplacé par Nivelle. Chez les Allemands, Falkenhayn a raté le coup de Verdun : il est lui aussi renvoyé. À sa place arrive le duo Hindenburg-Ludendorff.

1917, L'ANNÉE TERRIBLE

Les Allemands jouent leur va-tout : les sous-marins. Avec d'autant plus d'assurance que la Russie se désagrège pour cause de révolution et abandonne la cause alliée. Une défection mal compensée dans l'immédiat par l'entrée en guerre des États-Unis.

LA GUERRE SOUS-MARINE À OUTRANCE

Hindenburg et Lud^ndorff réussissent à convaincre l'empereur Guillaume II de décréter la guerre sous-marine à outrance le 1er février. Dorénavant, tout navire se dirigeant vers la France et l'Angleterre sera coulé sans préavis, qu'il soit neutre ou pas. Les Allemands font le pari d'affamer l'Angleterre en six mois, au risque de provoquer l'entrée en guerre des États-Unis. Ils s'engagent ainsi dans

Un U-Boot a fait surface et torpille un navire marchand allié à courte distance.

L'ÉCHEC DES U-BOOTE

De février à août, les sous-marins allemands semblent avoir la victoire à portée de périscope. Mais les Alliés trouvent la bonne riposte. Ils groupent leurs navires marchands en convois escortés par des torpilleurs. Les sous-marins sont dès lors obligés de lancer leurs torpilles en plongée, ce qui leur fait perdre 50 % de leur efficacité. À la fin de 1917, l'amirauté allemande fait ses comptes : elle a certes coulé plus de 6 millions de tonneaux* de navires alliés mais au prix de 63 sous-marins détruits. Et comme les Alliés construisent plus de navires que les Allemands ne peuvent en couler, la conclusion s'impose : les sous-marins ne donneront pas la victoire à l'Allemagne.

(*) Unité de volume valant 2,8 m³.

LES ÉTATS-UNIS DANS LA GUERRE

Les États-Unis se décident à déclarer la guerre à l'Allemagne le 2 avril, après que plusieurs de leurs navires ont été coulés. Une nation riche de 100 millions d'habitants et d'une énorme industrie passe ainsi dans le camp allié. Est-ce la victoire? Non. Car les Américains n'ont pas d'armée. Il leur faut au moins une année pour en bâtir une et l'envoyer en France. Dans l'immédiat, leur concours s'avère cependant précieux. Leur richesse financière, leur puissante marine, donnent un sacré ballon d'oxygène aux Français et aux Britanniques.

Les premiers soldats américains débarquent à Saint-Nazaire. Les Français devront les équiper en matériel moderne et tout leur apprendre de la guerre de tranchées.

DEUX RÉVOLUTIONS EN RUSSIE

En mars, des émeutes ouvrières, menées par des femmes, ont lieu à Petrograd, la capitale de l'Empire russe. Très vite, la garnison passe du côté des émeutiers. Lâché par ses généraux, le tsar Nicolas II abandonne son trône. Une république se met en place, décidée à rester dans la guerre au côté des Alliés. On respire à Paris et à Londres.

Pas pour longtemps. Car les soldats russes ne veulent plus se battre. Travaillés par la propagande bolchevique, ils désertent par centaines de milliers lors d'une tentative d'offensive en juillet. Les Allemands avancent partout sans rencontrer de résistance. Ils se félicitent d'avoir facilité la tâche de ces bolcheviks, menés par un certain Lénine. Très organisés, inspirés par la doctrine communiste de Karl Marx, ils font campagne pour la paix immédiate. Ils s'emparent du pouvoir en novembre, sans coup férir, et entament aussitôt des pourparlers avec l'Allemagne. Les Alliés sont atterrés : pour eux, c'est la plus grande catastrophe de la guerre ; pour les Allemands, la dernière chance de gagner.

A l'été 1917, l'armée russe se volatilise : les soldats s'enfuient pour aller participer à la révolution.

LA LASSITUDE DES PEUPLES

En France, en Italie, en Allemagne, plusieurs vagues de grèves déferlent dans les usines. La vie chère, les effets du blocus en Allemagne, sont responsables de ces mouvements. Mais, parmi les manifestants, on voit aussi apparaître des slogans demandant une paix immédiate. Sur ce fond de crise, les diverses négociations, plus ou moins secrètes, menées entre belligérants n'aboutissent pourtant à rien. Aucun des gouvernements ne veut entendre parler de compromis. Tant de sacrifices pour arriver à une « paix blanche », c'est-à-dire sans vainqueurs ni vaincus, impensable !

Plus grave est la crise du moral militaire. Les Français craquent les premiers. En avril, le général Nivelle lance une attaque massive sur le Chemin des Dames, non loin de Soissons. L'échec est consommé en vingt-quatre heures, malgré l'engagement des premiers chars d'assaut français : 500 mètres d'avance au lieu des 10 kilomètres prévus ! Trente mille soldats tués en dix jours. La désillusion est d'autant plus dure que Nivelle se disait certain de pouvoir réaliser la « percée » attendue depuis trois ans. Dans les semaines qui suivent, des centaines de mutineries éclatent : les hommes refusent d'attaquer à nouveau. Pétain, l'homme qui a résisté à Verdun, remplace Nivelle. Il prend des sanctions relativement modérées de l'avis des historiens : une cinquantaine de mutins sont exécutés (le chiffre est incertain). Pétain s'attache surtout à relever le moral. Le confort des cantonnements, la nourriture

sont améliorés. Les permissions sont mieux organisées : sept jours à la maison tous les quatre mois. Surtout, il renonce aux attaques générales. « J'attends les Américains et les tanks », aurait-il dit. Ces tanks, commandés aux usines Renault, doivent arriver sur le front en même temps que les soldats américains : à l'été 1918.

En Italie, la lassitude prend des formes plus graves. Quand, en octobre, les Allemands attaquent à Caporetto, les soldats se rendent ou désertent par milliers. Les Italiens perdent 300000 hommes et reculent de 150 kilomètres, jusqu'aux portes de Venise. Français et Anglais doivent envoyer 11 divisions pour consolider ce front.

1918, LA VICTOIRE DES ALLIÉS A L'ARRACHÉ

Les Allemands sont dos au mur : il leur faut gagner à l'ouest avant l'été, avant l'arrivée des Américains. Les Français et les Britanniques vont devoir encaisser seuls la ruée qui s'annonce.

Les troupes de choc se ruent à l'assaut des Britanniques : pour l'Allemagne, c'est l'offensive de la dernière chance.

LE COUP DE DÉS DE LUDENDORFF

En 1918, le général Ludendorff est le vrai patron de l'Allemagne. C'est un brillant tacticien mais aussi un extrémiste qui rêve de mettre l'Europe sous domination allemande. En décembre 1917, il s'est débarrassé du front russe en signant un armistice, à Brest-Litovsk, avec les bolcheviks. Du coup, il peut ramener en France 43 divisions, ce qui lui assure la supériorité numérique sur les Français et les Britanniques (192 divisions contre 171). Mais il laisse 40 autres divisions à l'est pour annexer à l'Allemagne de vastes portions de l'ancien Empire russe. Grosse erreur de Ludendorff qui sait pourtant que les Américains feront pencher la balance du côté des Alliés à partir de juillet 1918. Il a donc un printemps pour réussir la « percée ».

Ludendorff a une arme secrète, les Stosstruppen ou troupes de choc. Ce sont des divisions spécialement entraînées au combat rapproché, au lance-flammes et à la grenade. Officiers et sous-officiers sont capables de prendre leurs propres décisions sur le champ de bataille sans attendre les ordres d'en haut, qui arrivent toujours trop lentement. Plutôt que le choc frontal, les Stosstruppen cherchent à s'infiltrer dans les positions ennemies, sans se soucier de leurs flancs. Vitesse et surprise sont leurs mots d'ordre.

LES OFFENSIVES DE 1918

À partir du 21 mars, l'enfer se déchaîne. Les Allemands lancent 5 offensives à la suite, qui creusent 4 poches dans les lignes alliées (en pointillé rouge). Ceux-ci parviennent à les colmater, parfois en catastrophe. Puis, à partir de la seconde bataille de la Marne, le 18 juillet, Foch lance une série d'offensives qui obligent les Allemands à reculer sans cesse vers le nord-est : l'arrivée des Américains et des chars Renault fait définitivement pencher la balance en sa faveur. La ligne en bleu est celle atteinte par les Alliés le jour de l'armistice.

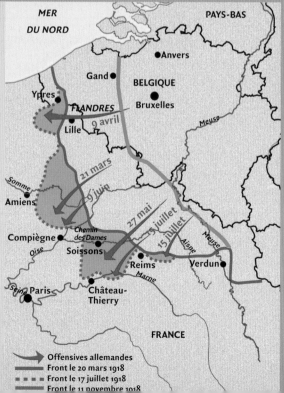

UNE SECONDE VICTOIRE DE LA MARNE

Le 15 juillet, Ludendorff frappe à l'ouest de Reims. Mais les Français sont sur leurs gardes, prévenus par des prisonniers. Les Allemands avancent difficilement… pour tomber dans un piège tendu par Foch. Cachées dans la forêt de Villers-Cotterêts, les 16 divisions des généraux Mangin et Degoutte attaquent sans préparation d'artillerie mais avec l'appui de 345 chars et 500 avions. Stupéfaits par ce coup porté dans leur flanc, les Allemands doivent repasser la Marne, abandonnant 30 000 prisonniers. Ludendorff a définitivement perdu la partie. Cette seconde bataille de la Marne est le tournant de la guerre à l'ouest.

Les chars Renault FT 17 montent en ligne lors de la seconde bataille de la Marne.

UN PRINTEMPS TERRIBLE

Le 21 mars à 4 h 40, 6 200 canons amenés en grand secret ouvrent le feu sur les positions anglaises de Picardie. Quatre-vingts minutes de bombardement aux gaz, suivies d'un déluge d'obus explosifs qui dure trois heures. Puis les bataillons d'assaut s'avancent dans la brume, avant-garde de 63 divisions persuadées qu'elles vont arracher une paix victorieuse pour l'Allemagne. Mille avions à croix noire tourbillonnent dans le ciel.

La Ve armée britannique se disloque, recule de 60 km, abandonne 70 000 prisonniers. Affolé, le commandant en chef britannique, Haig, envisage de retraiter vers le NORD, pour couvrir les ports de la Manche. Or, son homologue français, Pétain, s'apprête à donner l'ordre à ses troupes de reculer vers le SUD, pour défendre Paris. Les Allemands sont donc sur le point d'isoler les Britanniques des Français ! Heureusement, le 26 mars, Foch reçoit le commandement suprême des armées françaises ET britanniques à l'ouest. Il jette toutes ses réserves dans la brèche picarde pour défendre Amiens et sauvegarder ainsi le contact entre les deux alliés. Il y est aidé par Ludendorff qui commet l'erreur d'éparpiller ses forces. Le 5 avril, l'offensive allemande s'épuise d'elle-même. Les Alliés sont passés près de la catastrophe.

Le 9 avril, deuxième offensive dans les Flandres en direction de Calais et Dunkerque. Les Anglais plient mais ne rompent pas. Encore manqué pour Ludendorff.

Troisième offensive, le 27 mai, cette fois contre les Français, au Chemin des Dames. Foch n'attendait pas une attaque sur cette longue colline qui surplombe l'Aisne. En trois jours, les Allemands franchissent l'Aisne, puis la Marne. Les Français fuient en désordre, 50 000 d'entre eux sont pris, Paris n'est plus qu'à 75 km ! Beaucoup de Parisiens décampent. Surtout qu'à partir du 23 mars, 3 canons géants – les Grosses Bertha – tirent sur eux depuis la forêt de Saint-Gobain, à 120 km de là : 350 obus toucheront la ville et sa banlieue. Les inquiétudes s'apaisent quand le général Mangin réussit à casser l'offensive allemande en contre-attaquant le 11 juin sur le Matz, un petit affluent de l'Oise. Pour Ludendorff, tout est à refaire.

L'OFFENSIVE GÉNÉRALE

À partir de juillet, et chaque mois, Foch dispose de 240 000 soldats américains supplémentaires. Des centaines de chars Renault FT 17 montent aussi en ligne, alors que les Allemands n'ont pas d'engin équivalent. Les attaques alliées s'enchaînent sur toute la largeur du front. Les Allemands doivent reculer partout devant la supériorité matérielle des Alliés. En octobre, une bonne partie de la France du Nord et de la Belgique est déjà libérée.

Le moral des soldats allemands faiblit à vue d'œil. Ludendorff ne peut plus combler ses pertes qu'en faisant appel à des jeunes de 18 ans et à des plus de 45 ans. Malgré cela, l'armée allemande garde sa cohésion. La guerre pourrait encore durer longtemps car les Alliés aussi éprouvent des pertes sévères.

À partir de juillet 1918, le nombre de prisonniers et de déserteurs augmente en flèche côté allemand.

quartier général allemand

Les trois seigneurs de la guerre responsables de la catastrophe allemande. De gauche à droite : Hindenburg, l'empereur Guillaume II et Ludendorff.

L'ALLEMAGNE PERD SES ALLIÉS

L a surprise de cette guerre vient du front oublié de Salonique. En 1917, les Grecs sont enfin entrés en guerre au côté des Alliés, permettant aux Français et aux Serbes de se lancer sans crainte vers le nord. Le 15 septembre 1918, le général Franchet d'Esperey attaque les Germano-Bulgares dans la région montagneuse du Dobropolje. Ceux-ci sont enfoncés, la cavalerie française se répand à 130 km sur leurs arrières. Devant cette chevauchée foudroyante, les Bulgares capitulent le 29 septembre. Franchet d'Esperey se lance alors vers Belgrade, Sofia, Bucarest. Les Allemands n'ont plus assez de troupes pour boucher ce trou énorme apparu dans leur front sud. Le blé roumain, vital pour une Allemagne qui souffre de la faim, ne peut plus arriver. Idem pour le pétrole. Dans ses Mémoires, Ludendorff reconnaîtra que cette offensive scella le destin de son pays.

L'ALLEMAGNE PRISE À REVERS

La situation stratégique de l'Allemagne dans le dernier trimestre de 1918 est sans espoir. L'écroulement a commencé en septembre lorsque les Franco-serbes de Salonique (1) ont battu les Bulgares. Aussitôt les Alliés foncent vers Constantinople, la Roumanie et Budapest, au cœur de l'Autriche-Hongrie. Bulgares et Turcs demandent alors la paix. Début novembre, à Vittorio Veneto, les Italiens (2) s'ouvrent la route de Vienne, éliminant ainsi l'Autriche-Hongrie. Pendant ce temps, l'essentiel de l'armée allemande est fixé par les offensives alliées en Belgique (3). Sans alliés, sans blé ni pétrole roumains, sans soldats pour défendre sa frontière sud, le Reich n'a plus qu'à déposer les armes.

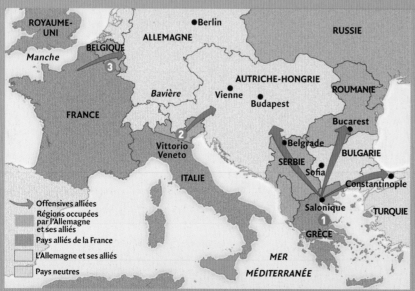

Offensives alliées
Régions occupées par l'Allemagne et ses alliés
Pays alliés de la France
L'Allemagne et ses alliés
Pays neutres

ROYAUME-UNI
Manche
BELGIQUE
ALLEMAGNE
•Berlin
RUSSIE
Bavière
AUTRICHE-HONGRIE
Vienne • Budapest
ROUMANIE
FRANCE
Bucarest
Vittorio Veneto
•Belgrade
BULGARIE
SERBIE
Sofia
ITALIE
Constantinople
Salonique
TURQUIE
GRÈCE
MER MÉDITERRANÉE

L'ALLEMAGNE EN RÉVOLUTION

Le 29 septembre, apprenant l'armistice bulgare, Ludendorff est pris de panique. Il prévient l'empereur Guillaume II qu'il faut négocier d'urgence un arrêt des combats. Dans son orgueil et son entêtement, Ludendorff s'imagine pouvoir obtenir une «paix blanche», c'est-à-dire sans vainqueurs ni vaincus. Il conseille à l'empereur de faire endosser les démarches de paix par un gouvernement civil. Le 2 octobre, le prince Max de Bade, un «libéral», est nommé chancelier, l'équivalent allemand d'un Premier ministre. Son premier geste est d'envoyer une note au président des États-Unis, Wilson, le priant «de prendre en main le rétablissement de la paix». Pourquoi Wilson? Parce qu'il a publié en janvier 1918 un projet de paix relativement clément pour les Allemands, les «Quatorze points» (voir encadré ci-dessous).

Bataille de rue à Berlin le 10 novembre 1918: c'est la guerre civile!

Mais Wilson refuse de discuter avec Guillaume II ou les militaires. Il demande l'instauration d'un vrai régime démocratique. Cette exigence va déclencher la révolution en Allemagne. Le 27 octobre, Guillaume II renvoie Ludendorff, pour tenter de sauver son trône. Le général s'était mis à prôner la résistance à outrance. Idée absurde: la population allemande n'en peut plus et l'annonce d'une demande d'armistice – que rien ne laissait prévoir – provoque un effondrement du moral. Le 3 novembre, les équipages de la flotte de guerre se mutinent dans les ports: on venait de leur donner l'ordre d'aller affronter la Royal Navy! Les mutins se répandent dans l'intérieur du pays, prenant le contrôle de nombreuses villes. Le 9, la révolution gagne Berlin où les socialistes proclament la république. Guillaume II s'enfuit piteusement en Hollande.

Le 30 octobre, c'est au tour des Turcs designer un armistice. Leur situation était devenue sans issue depuis la chute de la Bulgarie. Les Britanniques marchaient en effet sur le cœur du pays, Constantinople, tandis qu'au sud, flanqués de leurs alliés arabes, ils s'emparaient de la Syrie.

Dernier allié de l'Allemagne, l'Autriche-Hongrie. Elle est à bout de résistance. Les unités hongroises abandonnent carrément le front d'Italie pour aller défendre leur pays menacé par les Français et les Serbes. Les peuples qui composent ce vieil empire prennent leur indépendance: Tchèques, Croates, Polonais... C'est une armée en pleine décomposition que les Italiens attaquent à Vittorio Veneto fin octobre. Tout est balayé, l'armistice signé le 3 novembre. Rien n'interdit alors aux Alliés d'attaquer l'Allemagne par le Sud, en Bavière. Là encore, Ludendorff n'a plus grand-chose à leur opposer.

LE WAGON DE RETHONDES

Mais déjà, le 7 novembre, à 21 heures, quatre autos arborant un drapeau blanc ap-prochent des lignes françaises du côté de La Capelle, dans l'Aisne. Le jeune capitaine Lhuillier leur ordonne de stopper. Les passagers se présentent: c'est la délégation allemande chargée d'aller négocier un armistice avec le maréchal Foch. La négociation sera très courte: les Allemands n'ont pas vraiment le choix, leur pays sombrant dans le chaos. Foch leur impose des conditions militaires telles qu'ils ne puissent reprendre les hostilités. L'armée allemande doit repasser le Rhin, remettre aux Alliés sa flotte, 5 000 canons, 25 000 mitrailleuses, 1 700 avions, 150 000 wagons de chemin de fer. Le 11 novembre à 5 h 10 du matin, dans le wagon-bureau de Foch stationné à Rethondes, en forêt de Compiègne, l'armistice est signé.

À 11 h du matin, le 11 novembre 1918, les clairons sonnent le cessez-le-feu. La Première Guerre mondiale est terminée.

LES «QUATORZE POINTS» DE WILSON

Le 8 janvier 1918, dans un message au Congrès, le président des États-Unis, Woodrow Wilson, formule ses «Quatorze points». Ceux-ci représentent les buts de guerre de son pays. En voici quelques-uns:
– point 7, évacuation de la Belgique par les Allemands;
– point 8, l'Allemagne doit rendre l'Alsace-Lorraine à la France;
– point 13, création d'un État polonais avec libre accès à la mer;
– point 14, constitution d'une Association générale des nations pour protéger l'indépendance et les frontières des États petits et grands.
Drôle de défilé de la victoire, ce 14 juillet 1919 à Paris: des veuves tout de noir vêtues, des «Gueules cassées» qui n'ont plus de visage...

1919, DES TRAITÉS ET DES MORTS

**Comment ramener la paix après quatre ans de carnage et de haine ?
Tâche difficile que les Alliés ont ratée. Les Français célèbrent la « der des ders »
tandis qu'en Allemagne la « paix des vainqueurs » est unanimement refusée.**

Légende de la carte :
- Fontières de l'Allemagne, Autriche-Hongrie et Russie en 1914
- Frontières définies par les traités de 1919 à 1923
- Territoires perdus par l'Allemagne
- Populations de langues germaniques

LE PROBLÈME ALLEMAND

La paix de Versailles a éliminé l'Autriche-Hongrie de la carte. À sa place, apparaissent de nouveaux États : la Tchécoslovaquie, la Hongrie, l'Autriche, la Pologne, la Yougoslavie et la Roumanie agrandie. À noter que la Tchécoslovaquie incorpore de nombreux Allemands dans ses frontières. Quant au Reich, il perd à l'ouest l'Alsace-Lorraine et à l'est la Posnanie et la Haute-Silésie cédées aux Polonais. Pour donner à la nouvelle Pologne un accès à la mer, on crée un « corridor » qui mène au port de Dantzig devenu « ville libre ». Du coup, la Prusse orientale se trouve séparée du reste de l'Allemagne. Jamais les Allemands n'ont accepté leurs nouvelles frontières orientales et Hitler saura, plus tard, jouer de ce refus.

LE TRAITÉ DE VERSAILLES

L'armistice n'est pas la paix : on cesse seulement les combats. Après, on discute du prix à payer au vainqueur. Cette discussion se tiendra à Versailles de janvier à juin 1919. En réalité, elle a surtout lieu entre les vainqueurs, l'Allemagne n'ayant guère voix au chapitre. Les vingt-sept pays alliés sont présents mais ce sont les trois grands qui dominent les débats : la France, représentée par Clémenceau, l'Empire britannique par Lloyd George, les États-Unis par Wilson. Très vite, les vainqueurs sont en désaccord. Les Britanniques veulent une paix de réconciliation avec l'Allemagne. Les Américains croient empêcher le retour de la guerre grâce à un système de sécurité internationale. Les Français demandent des garanties empêchant une nouvelle agression allemande. De ces divergences sortira un compromis, le traité de Versailles, sur lequel les avis des historiens divergent. Trop dur pour les uns, trop mou pour les autres. (voir encadré et carte).

LES PRINCIPALES CLAUSES DU TRAITÉ

Ce traité est un pavé de 440 articles !
L'essentiel :
- L'Allemagne est reconnue responsable de la guerre, de toutes les pertes et dommages subis par les Alliés.
- Elle devra réparer tous les dommages causés à la population civile des pays alliés.
- Elle perd ses colonies d'Afrique, d'Asie et d'Océanie.
- L'armée allemande sera limitée à 100 000 hommes, sans artillerie lourde, ni avions ni chars. Elle ne peut se déployer sur la rive gauche du Rhin, ni dans une bande de 50 km de large située sur la rive droite.
- Création d'un État polonais auquel l'Allemagne doit céder des territoires (voir carte ci-dessus).
- Restitution de l'Alsace-Lorraine à la France.
- Création d'une Société des Nations pour organiser le désarmement général et régler les conflits entre pays par la négociation.

NEUF MILLIONS DE SOLDATS TUÉS

Les pertes humaines sont épouvantables. Aux 9 millions de soldats tués (voir tableau ci-contre) s'ajoutent 10 millions de victimes de la terrible épidémie de grippe espagnole qui frappe jusqu'en 1920. La France est affreusement touchée: 1 393 000 soldats tués! Un combattant sur quatre! Un million d'invalides à vie! Les gazés mourront à petit feu, tandis que les 10 000 «Gueules cassées» survivront longtemps sans visage. Six cent quatre-vingt mille veuves, 760 000 orphelins, 35 000 monuments aux morts: la France s'enfonce dans un deuil interminable.
Les pertes matérielles sont immenses. Dans la zone des combats, soit le nord et l'est de la France, les destructions sont hallucinantes. Cinq cents villages et 42 000 fermes ont disparu totalement, 50 villes sont détruites à plus de 60%. Deux millions d'hectares de terre, gorgés de gaz toxiques et d'explosifs, truffés de tranchées, sont impropres à la culture. Des mil lions d'obus non explosés tueront encore pendant des dizaines d'années. Financièrement, le pays s'est appauvri et endetté pour de très longues années, sa monnaie commence une longue descente aux enfers.

LES PERTES MILITAIRES		
BELLIGÉRANTS	**MOBILISÉS**	**TUÉS**
ALLEMAGNE	13 000 000	1 950 000
RUSSIE	15 000 000	1 700 000
FRANCE	8 300 000	1 393 000
AUTRICHE-HONGRIE	9 000 000	1 047 000
EMPIRE BRITANNIQUE	6 000 000	776 000
ITALIE	5 600 000	530 000
TURQUIE	2 850 000	400 000
SERBIE	450 000	400 000
ROUMANIE	1 000 000	158 000
ÉTATS-UNIS	3 800 000	114 000

UNE TERRIBLE CRISE MORALE

Le monde d'avant 1914 était à peu près stable et plutôt optimiste. On faisait confiance à la science et à la technique pour améliorer les choses. On croyait largement à la notion de progrès, à la puissance de la raison. En 1919, ce monde n'est plus, tué par le grand carnage de 14-18. La violence s'installe dans la vie politique. Les intellectuels et les artistes, qui ont perdu des milliers des leurs au front, se mettent souvent à exalter dans leurs œuvres la dérision, la révolution, le pessimisme, l'absurdité de la vie…

La Première Guerre mondiale est un événement étrange. Ses causes sont tellement minces que nombre d'historiens pensent qu'elle aurait pu être assez facilement évitée. En revanche, ses conséquences politiques sont énormes. Les régimes totalitaires les plus sanglants en sortiront plus ou moins directement: le bolchevisme en Russie, le fascisme en Italie, le nazisme en Allemagne. La Seconde Guerre mondiale doit aussi beaucoup à sa devancière. Hitler aurait-il existé si la France n'avait pas été aussi affaiblie par la terrible saignée et l'Allemagne si rancunière? C'est à cet ancien combattant de 14-18 qu'il appartiendra d'achever le suicide de l'Europe commencé à Sarajevo.

Drôle de défilé de la victoire, ce 14 juillet à Paris: des veuves tout de noir vêtues, des «Gueules cassées» qui n'ont plus de visage…

L'HORREUR POUR RIEN

La guerre de 14-18 a été la première guerre chimique de l'Histoire. Les adversaires se sont livrés à une véritable escalade en matière de gaz de combat. Pour un résultat militaire dérisoire.

1916, devant le village de Chilly, dans la Somme, les Français laissent dériver un nuage toxique en direction des tranchées allemandes.

Une longue file de soldats britanniques aveuglés par les gaz lacrymogènes (au bromacétone) à Estaires, dans le Nord, avril 1918.

Des soldats allemands chargent au chlore liquide des cylindres métalliques. Sitôt au contact de l'air, le chlore se vaporise et s'en va vers l'ennemi, porté par le vent, sous forme de «nuées dérivantes».

Le 22 avril 1915, en fin d'après-midi, près d'Ypres, dans les Flandres belges. De leurs tranchées, les soldats français de la 45e division d'Afrique observent un spectacle étrange: un nuage verdâtre de dix mètres de haut dérive au ras du sol depuis les lignes allemandes jusqu'au-dessus de leurs têtes. Dès les premières vapeurs respirées, les fantassins suffoquent. Des centaines d'entre eux se ruent vers l'arrière à la recherche d'air respirable. Les yeux brûlés, les fuyards courent au hasard, crachant du sang et se roulant à terre. Après les premières dissipations du nuage, les soldats allemands sortent alors de leurs tranchées. Tampons respiratoires sur le nez, ils n'ont plus qu'à avancer au milieu de cadavres au teint verdâtre pour s'emparer des villages alentour. Contemplant depuis un observatoire cette scène d'apocalypse, un géant ventru, raide dans son uniforme, se frotte les mains de satisfaction. Son nom: le Herr Professor Fritz Haber.

«Haber était directeur de l'institut de physique-chimie Kaiser Wilhelm de Berlin, commente l'historien Olivier Lepick. C'est lui qui a convaincu l'état-major allemand d'envoyer vers les lignes ennemies un nuage de chlore. S'il est inhalé en grande quantité, ce gaz irrite les voies respiratoires jusqu'à l'asphyxie. Il a causé en quelques minutes environ un millier de morts et deux à trois mille blessés. La première attaque chimique de l'Histoire venait d'avoir lieu.»

Et pourtant, quelques années auparavant, en 1907, les armes chimiques avaient été interdites par la Convention internationale de La Haye (Pays-Bas). Tous les futurs belligérants de 14-18 ont signé ce texte. «Les armes chimiques faisaient déjà très peur», reprend Olivier Lepick. Et pour cause: au XIXe siècle, la chimie est passée de la «cuisine» approximative d'antan à une véritable science capable de synthétiser avec précision toutes sortes de substances toxiques. À l'aube du XXe siècle, on produit en masse chlore, acide sulfurique et autres produits utilisés notamment pour fabriquer des colorants. Avec ces progrès, le spectre d'une véritable guerre chimique planait. Mais les nations n'en voulaient pas. Alors, qu'est-ce qui a poussé l'Allemagne à transgresser cet interdit dix mois après le début de la guerre?

LES FRANÇAIS ONT ÉTÉ GAZÉS POUR RIEN

«Il fallait débloquer la situation militaire», répond Olivier Lepick. Au printemps 1915, les états-majors des deux camps réalisent en effet qu'ils ont tout faux. Ils avaient imaginé le conflit comme une bonne vieille guerre de mouvement, façon Napoléon. Au lieu de ça, une guerre de taupes, statique, enlisée. Les armées s'enterrent face à face dans des tranchées, incapables de bouger sans se faire décimer. Du coup, les stratèges n'ont plus qu'une obsession: percer le front ennemi, reprendre la guerre de mouvement. Par n'importe quel moyen. Les gaz étaient justement un moyen nouveau.

Cependant, les premières recherches n'avaient donné que de piteux résultats. «En 1914, l'armée allemande avait sollicité Carl Duisberg, directeur de Bayer, l'une des plus importantes firmes de colorants du pays, précise l'historien américain Jeffrey Allan Johnson. Il fit des essais avec des obus remplis de substances chimiques utilisées depuis longtemps dans la fabrication des colorants. Mais en explosant au sol, les projectiles consumaient entièrement les produits qu'ils contenaient.» Les Anglais, qui testaient d'inefficaces obus pleins de gaz irritant, préfèrent les mettre au placard dès septembre 1914 plutôt que de violer l'accord de La Haye. Tandis que les Français s'en tiennent à de petites «cartouches suffocantes», des grenades lacrymogènes temporairement aveuglantes, autorisées par la convention.

Jusqu'à ce que Fritz Haber propose une méthode simple. Au lieu de projeter la substance toxique, pourquoi ne pas la laisser dériver dès que le vent souffle vers l'ennemi? Il suffit d'ouvrir des milliers de bonbonnes de chlore pressurisées que l'industrie chimique allemande, alors de très loin la première du monde, produit justement en grande quantité. Mieux encore: la technique de Fritz Haber respecte la convention de La Haye… en apparence. «Le texte était flou: il n'interdisait que les armes chimiques envoyées dans un projectile…», explique Olivier Lepick.

Chez les officiers allemands, certains se refusent tout de même à «empoisonner l'ennemi comme on empoisonne les rats». Mais ces scrupules sont vite balayés au nom de la patrie. Résultat: les 5830 cylindres alignés à Ypres, soit 150 tonnes de chlore, permettent à l'Allemagne de repousser le front de 9 km. «Mais l'attaque du 22 avril est quand même un échec, insiste Olivier Lepick. L'état-major a vu trop petit. Il n'avait notamment pas prévu assez de fantassins pour contenir la contre-attaque alliée. La percée tant espérée n'a pas eu lieu. Et l'effet de surprise de cette arme nouvelle a été gâché!» Les Français ont été gazés pour rien.

UNE VÉRITABLE INDUSTRIE CHIMIQUE

Effet de surprise gâché en effet. Car, sous le choc d'une attaque aussi «déloyale», les Alliés décident d'appliquer la loi du Talion: œil pour œil, dent pour dent. Adieu la Convention de La Haye. Dès le 25 avril, ils dépêchent des chimistes examiner des soldats gazés. Pas de doute: la substance utilisée est le chlore. Mais la France et l'Angleterre ne disposent que d'une ou deux modestes usines de fabrication de ce gaz. L'Allemagne était justement leur fournisseur… avant la guerre. «Les Alliés mettent alors sur pied une véritable industrie chimique en quelques mois, spécialement l'Angleterre », commente Olivier Lepick. Leur production de gaz de combat rivalise bientôt avec celle de l'Allemagne.

Dès septembre 1915, les Anglais peuvent aligner 6000 cylindres, soit 180 tonnes de chlore, à Loos, près de Lille. Et les soldats allemands tombent à leur tour asphyxiés malgré leurs masques à gaz (voir encadré), les premiers du genre « bien trop rudimentaires », d'après Olivier Lepick. Mais le vent, qui tourne dans le mauvais sens, et le manque de fantassins, limitent les résultats de l'attaque. La percée tant espérée n'a pas lieu. Encore des gaz pour rien.

Au fil des mois, les nuées de gaz se multiplient sur tous les fronts. Les armées utilisent des doses de plus en plus fortes. Et des substances de plus en plus toxiques. « Le phosgène, encore un gaz issu de l'industrie des colorants, est effroyable, raconte Henry Bélot, démineur à la sécurité civile. Difficile à repérer en pleine nature à cause de son odeur de terreau, il ne produit aucun effet sur le coup. » Mais quelques heures après l'inhalation, parfois même deux jours après, les poumons du gazé se remplissent progressivement de liquide. Il suffoque ensuite subitement – comme un noyé – étouffé dans son lit... Dans les tranchées, l'angoisse monte. À chaque instant, on croit déceler une attaque au phosgène. A-t-on mis le masque assez vite ? Est-il vraiment efficace ? Ne va-t-on pas se réveiller le lendemain à l'agonie ?

Mais les nuées dérivantes ne sont pas la panacée. Les fantassins rechignent à installer les milliers de bouteilles de 80 kg sous le feu des soldats ennemis, tout près de leurs lignes. Surtout, le vent ne souffle pas toujours du bon côté lors de l'attaque... Les Français lancent les premiers obus à gaz (du phosgène) à Verdun, en février 1916. D'abord surpris, les Allemands ne tardent pas à les imiter. « L'armée allemande avait offert une récompense à qui apporterait un obus toxique non éclaté pour pouvoir l'étudier », raconte Henry Bélot. Résultat : retour à l'égalité. Les horreurs toxiques que se balancent les

DU MOUCHOIR AU MASQUE À GAZ

Dès l'attaque au chlore d'avril 1915, les chimistes de chaque camp trouvent une parade rudimentaire : respirer à travers un tissu imbibé d'une solution de soude. Car cette substance piège les molécules chlorées. Mais les armées utilisent rapidement d'autres gaz. À chaque nouveauté, les scientifiques doivent identifier le toxique et trouver au plus vite la substance chimique qui le neutralisera. Il faut aussi fixer le tampon respiratoire de manière la plus étanche possible. En septembre 1915, les soldats français portent une sorte de cagoule qui protège tout le visage, yeux compris. Le tampon qu'il contient doit être imbibé régulièrement de solutions protectrices. Les Allemands, eux, disposent déjà de modèles très perfectionnés, imités plus tard par les Alliés. Les filtres tiennent dans une cartouche vissée sur le masque. Dès qu'elle a piégé son maximum de molécules toxiques, on la change. Avec ces améliorations, les attaques chimiques deviennent de moins en moins efficaces. Mais aspirer de l'air à travers les épais filtres est éreintant. Il ne reste dès lors qu'à envoyer de plus en plus de gaz, lors d'attaques toujours plus longues, pour épuiser l'ennemi.

armées ne servent qu'à envoyer à l'hôpital autant de fantassins dans chaque camp.

UN BILAN MILITAIRE TRÈS MINCE

Pour alimenter l'armée en centaines de tonnes de produits toxiques, Bayer, BASF, Höechst, Agfa et les autres grandes entreprises allemandes de colorants, médicaments et produits photographiques, tournent à plein régime. Idem en France et en Angleterre, à une échelle plus modeste. Dans tous les pays, la fine fleur des scientifiques se mobilise, passant au crible des milliers de substances afin de trouver les plus toxiques. « Jamais la science ne s'était à ce point engagée dans une guerre », commente Patrice Bret, historien des sciences.

À l'été 1917, l'équipe de Fritz Haber propose à l'état-major Allemand le plus diabolique des agents chimiques : le gaz moutarde, ainsi baptisé à cause de son odeur piquante. Ce liquide huileux, connu depuis 1860, n'at-

taque pas seulement les voies respiratoires : il traverse la peau et dérègle les cellules de tout l'organisme. La première attaque, dans la nuit du 12 au 13 juillet 1917, à Ypres (encore !), est un cauchemar. Au réveil, les hommes, aveugles, vomissent, le corps constellé de cloques purulentes d'où coule un liquide jaunâtre. « Le gaz moutarde était moins mortel que le phosgène, commente Henry Bélot. Mais ses effets spectaculaires, imparables par le masque à gaz, ont mis huit fois plus d'hommes hors de combat. » En moins d'un mois, les services scientifiques français identifient le nouveau toxique et le produisent à leur tour. En juin 1918, les obus au gaz moutarde français remettent une dernière fois les deux camps à égalité. Seules l'intervention des chars et l'arrivée des divisions américaines permettent finalement aux Alliés de remporter la victoire. Et de mettre fin à l'escalade des armes chimiques.

Au total, les acteurs du conflit ont déversé les uns sur les autres près de 112600 tonnes d'agents chimiques grâce à 400 nuées dérivantes et 66 millions d'obus. « Ils ont causé environ un million de victimes gazées, compte Olivier Lepick. Le nombre total de morts est plus difficile à estimer, faute d'archives fiables côté russe. Mais sur le front occidental le chiffre ne dépasse pas 17000. En somme, les gaz ont blessé bien plus qu'ils n'ont tué. » Comparée aux 23 millions de blessés et aux 8,5 millions de morts tombés du fait des armes « classiques » comme l'artillerie, la guerre chimique affiche un bilan militaire très mince. Finalement, les gaz n'ont servi à rien. Excepté à rendre les conditions de combat encore plus horribles. Et à condamner à une mort lente ces centaines de milliers de gazés qui cracheront leurs poumons durant des années, bien après la guerre. Quant au professeur Fritz Haber, il recevra le prix Nobel de chimie en 1918 pour ses travaux de 1913 sur la synthèse de l'ammoniac.

Un soldat français déclenche la sirène d'alerte aux gaz. La vitesse à laquelle l'alarme est donnée est très importante, particulièrement pour le phosgène, gaz invisible dont l'odeur de terreau se confond avec celle du sol, et qui ne produit aucun effet sur le coup.

LE BOURRAGE DE CRÂNE

*Bobards et fausses nouvelles, rumeurs, censure et propagande...
tout a contribué à faire prendre des vessies pour des lanternes aux Français de 14-18. Mais aussi à maintenir leur moral durant l'interminable guerre.*

Dans une classe parisienne, l'instituteur recueille les pièces d'or qui, versées à l'État, financeront l'effort de guerre. Les enfants sont ainsi chargés par l'Éducation nationale de rappeler à leurs parents leur devoir patriotique.

«*Alors, Papy, toujours pas crevé, le Kaiser?*» Victor Dursant marmonne dans sa pipe quelques gros mots bien sentis. Le jeune Pierrot n'insiste pas : il sait que son grand-père déteste être pris en défaut. Et là, il l'est dans les grandes largeurs.

C'est qu'il y a cru, le papé, à ce que disaient les journaux au début de la guerre. L'empereur d'Allemagne – le Kaiser Guillaume II – était, selon les gazettes, mourant, touché par de terribles maladies, «dissimulées au peuple allemand» : cancer de la gorge, tumeur au cerveau… Mais, finalement, rien : le Kaiser semble s'obstiner à durer autant que la guerre.

Et que dire de son fils, le Kronprinz ! Le 5 août 1914, la presse française le dit d'abord victime d'un attentat à Berlin ; puis, selon des journalistes bien informés, il est grièvement blessé sur le front français le 18 du même mois ; soigné dans un hôpital d'Aix-la-Chapelle, il y est, de source sûre, l'objet d'un nouvel attentat six jours plus tard. Autant de malheurs le poussent à se suicider le 4 septembre avant de retourner sur le front pour y être de nouveau blessé le 18 octobre. Blessure fatale, semble-t-il, puisqu'on annonce deux jours après que son épouse le veille sur son lit de mort. Enterré le 3 novembre, il est interné le 8 après avoir été frappé de folie ! De quoi faire perdre la boule à Victor Dursant… La boule et la face : a-t-il l'air fin d'avoir gobé autant de bobards imprimés !

Heureusement, les nouvelles du front semblent plus sérieuses. Le Temps, journal d'habitude crédible, n'a-t-il pas écrit que «*les statistiques des dernières guerres démontrent que plus les armes se perfectionnent, plus le nombre de pertes diminue*» ? D'accord, le journaliste de L'Intransigeant y est peut-être allé un peu fort en soutenant que «*les balles allemandes ne sont pas dangereuses*» et qu'«*elles traversent les chairs de part en part sans faire aucune déchirure*». Mais, après tout, peut-être est-ce cela qui explique la faiblesse des pertes françaises sur lesquelles les journaux s'étalent à l'envi…

À l'image de Victor Dursant, durant les premiers mois du conflit, tous les Français de l'arrière, journalistes et lecteurs confondus, ont voulu croire ce qui les rassurait. Croire que la guerre serait courte ; croire que les hommes reviendraient tous, ou presque, auréolés de leurs faits d'armes face à une Allemagne terrassée. Y croire jusqu'à enjoliver les faits, les inventer même, sous l'effet d'un patriotisme chauffé à blanc.

Le Canard Enchaîné est un journal né pendant la guerre de 14, pour combattre le bourrage de crâne officiel. Notez dans la colonne de droite un «blanc» : il s'agit d'un article supprimé par la censure. Ladite censure est caricaturée (en bas) sous la forme d'une vieille dame championne du coup de ciseaux, «Anastasie».

LA CENSURE ACCEPTÉE PAR LA POPULATION

La remarque de son petit-fils a mis Papy en rogne. Il jette son journal par terre. « À quoi bon ! Y a rien à lire ! » C'est vrai, en ce temps de guerre, les rubriques consacrées à la Bourse, aux sports, aux faits-divers ont disparu. Et ce qui reste de pages est parsemé de grands espaces blancs. C'est la censure, « Anastasie », comme on la surnomme, qui a fait le coup. Tout ce qui déplaît est implacablement coupé avant impression. Résultat, un article de 800 mots peut très bien paraître avec seulement deux phrases compréhensibles et… parfaitement anodines.

Une censure qui est en partie acceptée par la population : il ne faudrait pas que les espions « boches » puissent trouver des renseignements dans des articles trop bien informés. Même les petites annonces sont surveillées de crainte qu'elles ne contiennent des messages codés. Mais si l'objectif avoué est de protéger ceux qui sont au front, il est aussi, plus secrètement, de soutenir le moral de l'arrière en masquant les défaites des premiers mois de conflit et les terribles hécatombes de soldats. Malheur aux journaux qui voudraient ne pas appliquer les consignes : l'autre matin, à l'aube, gendarmes et policiers ont fait une descente dans toutes les gares, les kiosques et autres bureaux de poste pour saisir les exemplaires du Petit Parisien !

« *De toute façon, que pourraient bien savoir les journalistes* », bougonne Victor. Il est vrai que depuis le début du conflit, les dépêches télégraphiques sont censurées ainsi que les actualités cinématographiques ; même les communications téléphoniques sont interdites de ville à ville. Les seuls récits ou clichés sur la vie du front sont ceux fournis et autorisés par l'armée. Ils ne montrent ou n'évoquent jamais la mort des poilus mais toujours leurs héroïques faits d'armes.

ÉPISODES de la GUERRE 1914. (EM. N 111. — Le jeune Émile Desprès, sommé de tuer un blessé français auquel il venait de donner à boire, prit le fusil en mains et tua l'officier allemand qui lui avait donné cet ordre.

DES « SOLDATS D'ÉLITE »

Pierre distingue de loin l'expression agacée du papy. « *Ses journaux ne doivent pas être bien rigolos, se dit-il. Pas comme les miens.* » Et le jeune garçon se plonge dans le dernier numéro de L'Épatant (illustré qu'il achète tous les jeudis au prix de cinq centimes) où il se délecte des aventures des Pieds Nickelés. Pierre avait déjà adoré « *Il y a du monde aux Balkans* » ; mais là, ses héros préférés se surpassent dans « *Les Pieds Nickelés s'en vont en guerre* ». Marginaux un peu voyous à l'origine, Les Pieds Nickelés sont devenus au début du conflit des soldats d'élite. Croquignol, l'un des trois filous, donne le ton : « *Les aminches, nous sommes français avant tout. Il n'y a donc pas à hésiter. Du moment qu'il s'agit de taper sur les Boches, nous sommes là.* »

Mais la publication qui fait le plus vibrer le cœur du jeune Dursant, c'est bien Les Trois Couleurs. Les jeunes lecteurs peuvent trouver dans cet hebdomadaire des envolées comme celle-ci :

« *Pour effacer jusqu'à la trace*
Des impériaux, des Allemands
Il faut exterminer leur race
Dans leurs femmes et leurs enfants ;
Des cris de ces jeunes vipères,
Que nos cœurs ne soient point émus,

En haut : L'histoire édifiante et patriotique du petit Émile Desprès : les historiens ne parviennent pas à y discerner le vrai du faux.
Ci-dessus : Une ambulance militaire en bois : impossible d'échapper à la guerre, même quand on a 6 ans et qu'on joue aux voitures.

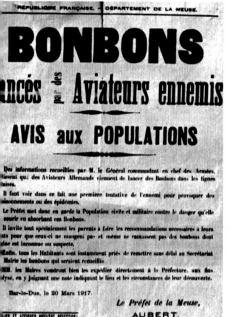

Une carte postale de 1916. Le papa lit Le Poilu en pensant à madame et au fiston habillé en bleu horizon. Vision d'une guerre propre où chacun, de 7 à 77 ans, ne rêve que de se battre pour la patrie. Au même moment, à Verdun, chaque jour, 5 000 hommes tombent morts dans la boue…

Ces enfants vengeraient leurs pères, Mais les morts ne se vengent plus. »

Ah, si seulement petit Pierre pouvait aller combattre! Faire partie de ces sections spéciales qu'évoquent les illustrés enfantins: commandos composés de fakirs indiens spécialisés dans l'égorgement des sentinelles (car ils peuvent marcher sur les barbelés), ou encore soldats déguisés en animaux pour mieux capturer l'ennemi! Hélas, au lieu de vivre ces aventures, il faut se résoudre à aller à l'école.

LA SURENCHÈRE PATRIOTIQUE

Mais là aussi, on n'échappe pas à la guerre. À la rentrée 1914, l'instituteur s'est fendu d'un discours. Reprenant les termes d'une instruction ministérielle, il a évoqué devant ses élèves « *la lutte sacrée où nos armées sont engagées* », « *l'agression sans excuse* » qui a provoqué le conflit et comment « *la France, éternel champion du progrès et du droit, a dû se dresser encore, avec des alliés valeureux, pour repousser les barbares modernes.* » Mais une fois ce morceau de bravoure passé, il a bien fallu retrouver le triste quotidien.

Quelques bons souvenirs tout de même, notamment quand le « maître » a posé ce problème d'arithmétique (proposé par la Revue de l'enseignement primaire): « *Jacob Guéberlé, instituteur allemand, a noté le nombre de punitions qu'il a infligées à ses élèves en cinquante ans: 911 527 coups de bâton, 124 010 coups de verge, 20 989 coups de règle, 136 715 coups de main [...] Combien a-t-il distribué de punitions?* »

Par l'embrasure de la porte de la cuisine, Séverine Dursant devine les silhouettes de son fils et de son beau-père plongés dans leurs lectures. Elle aimerait tant qu'une autre silhouette soit présente. Mais Jean, son mari, est au front.

Et il faut qu'elle soit forte, pour lui qui combat, pour la France qui souffre. Maudits Allemands! pense Séverine dix fois par jour. Ils sont partout, dit-on. Dans les premiers mois du conflit, des rumeurs ont couru: certaines firmes alimentaires auraient appartenu à l'ennemi et fait son jeu. Séverine a aussitôt cessé d'acheter les produits incriminés, même si elle n'a pas participé aux violences « patriotiques » qui ont eu lieu à cette occasion: les laiteries Maggi ont ainsi été pillées, soupçonnées qu'elles étaient d'avoir fourni du lait empoisonné aux enfants français. Quant aux boutiques portant le panonceau célèbre du bouillon Kub, elles ont été prises d'assaut: l'opinion croyait que le revers de ces publicités abritait des messages codés destinés aux espions. Sur un mode moins violent, des petits malins ont réclamé que l'on débaptise certains produits comme l'eau de Cologne, les pains viennois… Et suggéré de transformer cousin germain en cousin cosaque, ou encore berlingot en parigot!

L'époque en rajoute dans la surenchère patriotique. Pour preuve, la floraison de spectacles, de sketches, de chansons, de textes en tout genre prompts à chauffer le sentiment national, à flatter l'esprit cocardier et à faire de l'ennemi un objet de haine. Faut-il y voir un effet du travail des censeurs? Il est vrai que ces derniers (qui ont pu interdire jusqu'à environ un quart des spectacles au début de la guerre) favorisent particulièrement les productions où fleurit le mot « Boche », à l'exemple de chansons comme « *Les Boches, il n'en faut plus!* », « *Les Boches, c'est comme les rats* », ou encore « *Bouffe-Boche* » !

La chanson que Séverine a sans arrêt en tête, comme la plupart des Français, est « On les aura! On les aura! », interprétée par Vilbert. Lancée dans une revue intitulée 1915, elle est devenue, en quelques mois, l'une des préférées des poilus. D'ailleurs, Vilbert n'arrête pas d'être sollicité pour l'interpréter à Paris comme en province (il la chantera quelque 250 fois en trois ans).

BERNÉS AU NOM DE LA PATRIE

Néanmoins, malgré le soutien moral de ces chants patriotiques et sa certitude que la France va gagner la guerre, Séverine trouve la séparation très dure à supporter. Chaque jour, elle vit dans l'angoisse de recevoir un télégramme, ou de voir arriver Monsieur le maire lui annoncer la terrible nouvelle… Heureusement, il y a le courrier. En période de calme, les soldats peuvent écrire une lettre par jour, soit plusieurs millions expédiées quotidiennement en franchise militaire (plus de 10 milliards pour l'ensemble de la guerre). Et Jean ne se prive pas d'user son crayon.

Toutefois, ses lettres ont pris un drôle de ton ces derniers temps. Oh, ni plaintes, ni récriminations. Mais Séverine connaît son homme ; elle sait lire entre les lignes. Il le faut bien car le courrier est surveillé. Jean a été clair : « *Sois prudente, et si tu veux que je reçoive tes lettres, n'évoque pas la guerre. Contente-toi de me parler de toi et de notre famille.* » Et plus loin : « *Je te quitte de peur de trop en dire car si la lettre venait à être décachetée, je pourrais aller en prison.* » Séverine sent bien que son mari en a gros sur le cœur mais qu'il ne peut pas prendre le risque de s'exprimer librement par écrit.

Comme il est impossible aux censeurs de tout vérifier, le contrôle du courrier s'effectue par sondage. Si l'on traque surtout les informations proscrites (sur les opérations militaires notamment), le champ de la censure s'étend également aux réflexions « défaitistes ». Lorsqu'un courrier venant du front et porteur de propos jugés mauvais pour le moral est intercepté, les amis du soldat qui en est l'auteur sont surveillés à leur tour. Et comme

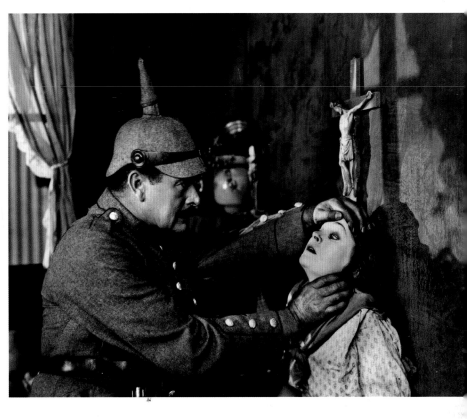

le fait comprendre Jean Dursant à son épouse, les lettres envoyées de l'arrière font elles aussi l'objet d'une surveillance. Mais les censeurs ne peuvent rien contre les permissions. Et à cette occasion, les soldats en racontent bien davantage. D'ailleurs, Séverine compte bien en apprendre plus quand Jean sera lui aussi en « perm' ». Alors, peu à peu, si Jean y consent, Séverine, son fils et son beau-père découvriront l'horreur inouïe de cette guerre. En dépit de la censure et du bourrage de crâne. Comme nombre de Français, ils en voudront longtemps à la presse et au gouvernement de les avoir bernés ainsi au nom de la patrie.

En haut : Le cinéma – un art alors tout jeune – se met aussi au bourrage de crâne. Dans ce film américain, un horrible officier prussien outrage une pure jeune fille française devant le crucifix…
Ci-dessus : L'empereur allemand Guillaume II montre son vrai visage : celui de la mort. Les images de propagande comme celle-ci rappellent sans cesse que l'on combat pour le bien contre les forces du mal.

BARON ROUGE CONTRE VIEUX CHARLES

Le «Baron Rouge»,
c'est le surnom
de Manfred
von Richthofen.
Le Vieux Charles,
c'est l'avion de
Georges Guynemer.
Deux vedettes des airs,
deux as des as qui
symbolisent à jamais
la naissance d'une
arme redoutable :
l'avion.

A gauche, von Richtofen,
80 victoires. A droite, Guynemer,
53 victoires. Aucun des deux ne verra
la fin de la guerre…

La guerre? Les Boches? La Belgique envahie? Il tombe du ciel, le jeune Georges Guynemer, en ce début d'août 1914, lorsqu'il apprend ce qui se passe dans le nord du pays. On est si loin de tout ça, ici, sur la plage d'Anglet, en vacances familiales au Pays basque. La guerre, ça alors! Mais la nouvelle ne le laisse pas longtemps sans voix: plus question de préparer le concours d'entrée à Polytechnique. À la rentrée, il s'engagera. Et tant pis si à dix-neuf ans et demi il n'a pas l'âge.

Au même moment, la guerre est déjà une réalité pour Manfred von Richthofen. Le sous-lieutenant allemand de vingt-deux ans a pris la tête d'une patrouille de cavaliers du 1er régiment d'Uhlans. Avec ses hommes filant au petit trot, il prépare une opération sur un village de Pologne russe.

Guynemer-Richthofen. Lorsque la Grande Guerre éclate, aucun de ces deux-là n'est aux commandes d'un coucou. Mieux: ni l'un ni l'autre n'y songe. Et comment leur reprocher? Même pour les généraux des deux armées, l'avion n'est qu'un jouet un peu futile, tout juste bon à reluquer les mouvements de l'ennemi.

Ainsi, en août 14, l'aéronautique française ne compte guère plus de 150 appareils – contre 260 environ côté allemand. Les Blériot, Farman ou Caudron gaulois, tout comme les Albatros, Taube ou Aviatik germaniques, sont de fragiles créatures de bois entoilées qui ne dépassent guère le 120 km/h, mettent une demi-heure pour atteindre 2000 mètres d'altitude et surtout, surtout, n'embarquent aucune arme. De vraies colombes. Devant un commandement qui les ignore, les aviateurs – ils sont environ 200 en France – prennent les devants. En 1914, la plupart des appareils sont biplaces, si bien que l'observateur juché devant le pilote peut emporter une carabine ou un revolver. Durant l'été, quelques coups de feu sont ainsi échangés dans les airs. Le 5 octobre 1914, les Français Frantz et Quénault mettent dans leur ligne de mire un Aviatik ennemi; très vite, leur mitrailleuse Hotchkiss s'enraye mais les 47 cartouches tirées suffisent à liquider le lieutenant von Zangen et le sergent Schlichting, victimes du premier véritable duel aérien de l'Histoire.

PREMIÈRE VICTOIRE DE GUYNEMER

Georges Guynemer aimerait bien en découdre lui aussi. Hélas, il est malingre – 43 kg pour 1,73 m – et sa santé flageolante. On lui refuse l'accès à l'infanterie. Et il faut tous les « pistons » de son père, ancien officier, pour lui permettre d'entrer en novembre 1914 à l'école d'aviation de Pau par la petite porte : il sera aide-mécanicien. Le garçon adore bichonner les avions, mais il est loin du front, là où ça barde. Il veut piloter ; à force d'insistance, on accepte. Le voilà sur un Blériot, le 10 mars 1915, pour son premier vol. Un mois plus tard, il est breveté pilote.

Et Richthofen? Lui aussi ronge son frein. Il végète dans une tranchée en France. Un coin trop tranquille où il est chargé… du ravitaillement! Le baron s'ennuie à cent marks de l'heure. Il a alors une illumination : son salut passe par le ciel. En mai 1915, il est affecté à l'école de

LE NIEUPORT 11 (1915)
Le premier vrai chasseur français, très maniable, surnommé familièrement « bébé Nieuport » en raison de sa petite taille (13 m2 de surface pour les ailes contre 18 m2 pour le Nieuport 10).
Vitesse : 150 km/h.
Armement : 1 mitrailleuse Lewis sur le plan supérieur.

Cologne, non comme pilote mais comme observateur. Le métier est plus rapide à apprendre et le bouillant Richthofen ne veut rien manquer d'une guerre qu'il croit très courte.

1915 est une année charnière pour l'aviation. Des deux côtés du Rhin, on a enfin compris le potentiel de l'avion. Deux batailles clés – la Marne pour les Français, Tannenberg pour les Allemands – ont pu être emportées grâce à des observations aériennes. Les tirs d'artillerie sont réglés dans les airs par des avions qui envoient au sol les coordonnées des canons ennemis dans des messages lestés. En clair, avions d'observation et de reconnaissance sont devenus des trouble-fête à descendre. Telle est la nouvelle mission d'un nouveau type d'appareil et de pilote : le chasseur.

Guynemer est de cette race-là. Depuis le 8 juin 1915, il a pris ses quartiers à l'escadrille MS-3, bientôt rebaptisée « escadrille des Cigognes ». Là, que des durs de durs : Heurtaux, de la Tour, Dorme, Auger et surtout Jules Védrines, un baroudeur qui le surnomme « le Môme » et le prend sous son aile. Le 15 juin, baptême du feu. Et le 19 juillet, la première victoire. Avec son mitrailleur, Guynemer, aux commandes d'un Morane-Saulnier Parasol, vient à bout d'un Aviatik. Ce n'est qu'un début. Car l'escadrille va toucher les nouveaux monoplaces Nieuport II, dits « bébés Nieuport » *(dessin ci-contre à gauche)* : des bébés ravageurs qui permettent à Georges Guynemer d'envoyer au tapis trois adversaires dans le seul mois de décembre 1915 !

L'AS DES AS ALLEMANDS

Au même moment, Richthofen décroche son brevet de pilote… à la troisième tentative ! Le baron n'est pas très doué. Voyant la guerre durer, et convaincu par l'aviateur Oswald Boelcke, il a opté pour le pilotage. Affecté dans une escadrille de chasse, Jasta en allemand, il arrive à point pour la grande ruée sur Verdun. Pour la première fois, 270 chasseurs sont concentrés. Dans les premières lueurs du jour, ils décollent ensemble le 21 février 1916 et anéantissent avions et ballons d'observation français. L'artillerie est aveuglée, incapable d'ajuster ses tirs face à l'orage d'acier qui marque le début de la bataille de Verdun. Les aigles allemands dominent le ciel.

Dans le ciel de Verdun, Richthofen et Guynemer auraient pu se rencontrer. Car le Français est là, lui aussi ; comme ses camarades des Cigognes, il vient d'arriver sur ce front où ça chauffe. Hélas, le 13 mars, deux balles lui traversent le bras. On doit l'évacuer. Richthofen, lui, descend un Nieuport le 26 avril. Mais la déveine le poursuit : l'appareil s'écrase derrière les lignes françaises, et sa victoire ne peut être homologuée.

À mesure que l'année 1916 avance, les Allemands perdent leur maîtrise absolue du ciel. Dans la Somme, où les Anglais lancent leur puissante – et sanglante – offensive, les fantassins du Reich manquent même de craquer. C'est pour les aider que le pilote Boelcke reçoit pour mission de créer la Jasta 2, une unité d'élite. Boelcke est alors le plus grand

LE TAUBE (1914)
La « colombe » (c'est le sens de Taube en allemand), biplace de reconnaissance, mérite bien son nom. Non seulement pour la forme de sa voilure, inspirée de celle de l'oiseau, mais aussi pour son absence d'arme.
Vitesse : 100 km/h.

En haut : dès le mois d'août 1914, les avions servent au bombardement mais les munitions sont assez dérisoires et larguées avec peu de précision (ici, sur un bombardier anglais).
Ci-dessus : les fantassins circulant sur les routes ont dû apprendre à décamper pour éviter mitraillages et bombardements.

aviateur de la guerre, on le surnomme *Der Meister* – «le maître», c'est tout dire. Il propose à Richthofen de le rejoindre, et ce dernier accepte avec enthousiasme. Bien lui en prend : le 17 septembre, il

LE FOKKER Dr-I (1917)
Sûrement l'avion le plus célèbre de la guerre. De ce triplan fétiche, von Richthofen disait : il grimpe comme un singe et manœuvre comme un démon. Mais une suite de ruptures d'ailes en vol mit un terme à sa carrière.
Vitesse : 165 km/h. Armement : 2 mitrailleuses Spandau.

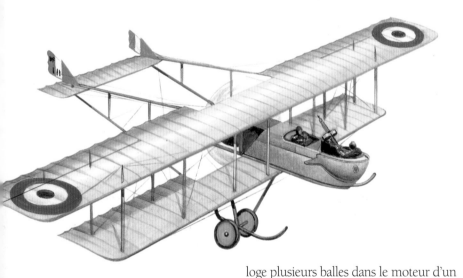

LE FARMAN (1914)
Robustes et fiables, les biplans Farman furent employés pour la reconnaissance et le bombardement. Leur hélice propulsive (placée derrière le pilote) sera abandonnée au profit de l'hélice à l'avant.
Vitesse : 80 km/h.
Armement : mitrailleuse sur tourelle, servie par un mitrailleur.

loge plusieurs balles dans le moteur d'un FE-2 britannique et blesse mortellement pilote et observateur. Enfin sa première victoire reconnue !

Une fois encore, dans le ciel de la Somme, «Georges» et «Manfred» sont voisins de palier – mais l'occasion de se mesurer ne se présente pas. Quand l'Allemand abat son premier adversaire, Guynemer compte déjà 16 victoires. La presse française l'idolâtre. Le commandement autorise que l'on cite son nom ;

pardi, cette guerre dans les airs est beaucoup plus présentable que celle, immonde, qui s'éternise dans la bouillasse des tranchées. Guynemer est conscient de sa valeur, il joue le jeu, se laisse entraîner dans les mondanités, multiplie les conquêtes féminines.

Avec un temps de retard, mais à marche forcée, Manfred von Richthofen va vivre la même histoire outre-Rhin. Au tout début de 1917, le voilà rendu à 16 victoires. Depuis le décès accidentel de Boelcke en octobre, il est devenu l'as des as allemands. La presse le célèbre, il reçoit le prestigieux ordre Pour le Mérite en même temps que le commandement de la Jasta 2.

PAS DE CADEAU ENTRE PILOTES

À parcourir les journaux de l'époque, la guerre aérienne a des parfums de joutes chevaleresques. Mais ceux qui ont le nez dessus en connaissent la vraie odeur de poudre et de caoutchouc brûlé. Les plus chanceux trouveront une mort propre – une balle de 7 mm dans le crâne. Les autres s'abîmeront dans leur zinc déchiqueté, finiront le corps rompu après avoir fait une chute de 2000 mètres, ou s'embraseront en même temps que les réservoirs auxquels ils sont collés dans l'étroit cockpit. Parmi les fantassins, un combattant sur quatre trouvera la mort dans les tranchées de la Grande Guerre. Mais dans le ciel, c'est un navigant sur deux qui périra d'une balle ou d'un accident : on crève plus sûrement dans les nuages que dans la boue.

C'est qu'on ne se fait pas de cadeau entre pilotes. Pas question de tirer dans le moteur ; on vise le bonhomme, parce que c'est la guerre, parce que si on l'épargne aujourd'hui il vous trouera la peau demain.

Dans les lettres qu'il envoie à sa famille, Georges Guynemer traduit la dureté de cette guerre des airs. Peu de pitié pour le

pilote tué « *qui a une sale tête de Boche* », ou « *le passager boche nettoyé* ». Souvent, il termine ses phrases par la même onomatopée macabre : « *À 7 h 30, attaqué un Aviatik ; emporté par l'élan, passé à 50 cm, passager couic !* » Guynemer surveille son score de près ; pas question d'être dépassé par l'escadrille de René Fonck, son « rival » français.

Richthofen, aussi, use des mots comme des cartouches dans son autobiographie, *Le Corsaire rouge*. Des Britanniques, il écrit : « *Souvent, pour décrire leur audace, il ne me vient qu'un seul mot : la stupidité.* » Les Français ? « *De temps à autre, leur sang gaulois bouillonne comme une limonade gazeuse, ils s'élancent à l'attaque, déploient un instant une énergie farouche qui disparaît tout aussi vite. L'opiniâtreté leur fait défaut.* » Un livre publié en 1917, en pleine guerre, pour dénigrer l'adversaire.

Pour l'as allemand, 1917 est une excellente année : il abattra 47 avions alliés, portant son palmarès personnel à 63 fin décembre. C'est que les nouveaux chasseurs allemands – les Albatros D-III – surclassent leurs adversaires franco-britanniques. D'autant que le commandement allié, pour préparer la grande offensive terrestre d'avril, envoie imprudemment ses chasseurs gagner la maîtrise du ciel. Pour les aviateurs anglais, avril est une hécatombe : 151 avions abattus, 316 navigants hors de combat, plus de 40 % du personnel volant ! À lui seul, Richthofen descend 20 appareils ce mois-là. Son Albatros, qu'il a fait peindre en rouge, lui vaut le surnom de « Petit

rouge » côté britannique. Le jour de ses 25 ans, il est reçu à la table de l'empereur Guillaume II.

UNE CONCENTRATION DE 1 500 AVIONS

En France, la renommée de Guynemer ne pâlit pas. Il fait partie des privilégiés à voler sur le très bon Spad 7, puis sur l'excellent Spad 13. Pour lui aussi, 1917 est fertile en victoires mais aussi en chagrins : l'escadrille des Cigognes est dépeuplée par les mitrailleuses allemandes. Présage sinistre. Car le 11 septembre 1917, le sous-lieutenant Bozon-Verduraz revient seul de mission ; son chef, le capitaine Georges Guynemer, 53 victoires, a disparu près du village belge de Poelkapelle. On saura plus tard que des soldats allemands ont retrouvé son cadavre dans son Spad, mais qu'un intense bombardement britannique les a empêchés de le mettre à l'abri. Le corps déjà si mince du Français s'est évanoui sous les obus anglais.

Quant au « Baron Rouge », il continue à ravager les escadrilles anglaises du nord

L'ALBATROS D-III (1917)
Puissamment armé, capable de grimper à 1 000 mètres en 6 minutes, cet Albatros fut un oiseau de mort qui saigna les escadrilles alliées.
Vitesse : 170 km/h.
Armement :
2 mitrailleuses Spandau.

LE BRÉGUET 14 (1917)
Bougrement fiable et robuste : tel est le Bréguet 14, bon à tout faire de l'aviation française (bombardement, reconnaissance, etc.) et l'un des premiers à fuselage en duralumin, un alliage léger.
Vitesse : 180 km/h.
Armement :
2 ou 3 mitrailleuses.

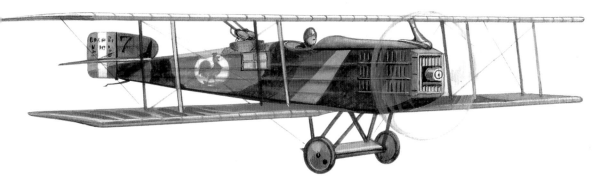

① ②

DUEL AU SOLEIL

Un combat aérien ne ressemble guère à une joute sportive où tous les combattants auraient les mêmes chances au départ. Chacun recherche un avantage initial sur l'autre. Voici un combat « type » : (1) L'avion français (en noir) vole haut, sous la protection du soleil qui aveugle son adversaire. (2) Il descend en piqué dans le dos de son ennemi. À ce stade, il pourrait profiter de sa vitesse pour fondre directement sur lui… (3)… mais il préfère arriver dans sa queue, sous lui ; cette position est favorable car la vision du pilote allemand (en rouge) est gênée par l'aile inférieure de son biplan. Le Français n'a plus qu'à ouvrir le feu. Les meilleurs à cet exercice portèrent le titre d'«as». Côté français, la palme revint à René Fonck, 75 victoires, suivi par Georges Guynemer (53) et Charles Nungesser (45). Côté allemand, le baron Manfred von Richthofen fut le pilote le plus titré de la guerre avec 80 victoires, suivi par Ernst Udet (62) et Erich Loewenhardt (54). Quant aux aviateurs de l'Empire britannique, le meilleur palmarès revint au Canadien William Avery Bishop (72 victoires), suivi d'Edward Mannock (61) et d'un autre Canadien, Raymond Collishaw (60).

de la France à la tête de sa Jasta, le « Cirque Richthofen » comme on l'appelle. Lui et ses pilotes sont désormais équipés de triplans, les Fokker Dr-1, tous peints en couleurs voyantes. Avec 80 victoires au compteur, Richthofen paraît invincible.

Le 21 avril 1918, pourtant, à l'issue d'une mêlée, le Fokker de Richthofen se pose avec rudesse devant une tranchée australienne avant de capoter. Les soldats alliés accourus défont la sangle du baron, tué d'une balle de mitrailleuse. Tirée par qui ? Des aviateurs canadiens en l'air ? Des mitrailleurs australiens au sol ? Mystère. On parle même d'un guet-apens pour l'éliminer. La mort d'une légende ne saurait être simple.

Avec « l'as des as » de la Grande Guerre, c'est aussi une certaine conception de la guerre aérienne qui disparaît. Le temps des duels solitaires a pris fin. Les offensives de 1918 sont menées avec des groupements, voire toute une division aérienne combinant chasseurs et bombardiers. Jusqu'à 1500 avions prennent ainsi l'air, une concentration qui permet aux Alliés de stopper l'avancée allemande au-delà de la Marne en juillet 1918. La victoire n'est plus très loin. En quatre ans de guerre, l'Allemagne aura construit 48500 avions et la France 51000. L'avion aura convaincu de son mortel pouvoir. Et toute une génération d'as d'à peine 20 ans y aura laissé sa peau..

LE COMBAT DES AS

Aux frêles biplans de bois et de toile de 1914 dépourvus d'armes vont succéder des appareils aux structures métalliques, rapides et puissamment armés de mitrailleuses – l'une des armes reines de 14-18. Voici deux des meilleurs appareils de la guerre: le Spad-XIII (ci-contre à droite) des Alliés, puissant mais délicat à piloter, et sur lequel Georges Guynemer remporta ses dernières victoires; et le remarquable Fokker D-VII allemand (à gauche) que von Richthofen n'aura pas le temps de mener au combat. Le problème crucial du tir à travers l'hélice a été résolu par les Allemands dès 1915 grâce à Anthony Fokker. Cet avionneur hollandais au service du Reich équipa son Fokker E-I d'une mitrailleuse qui s'interrompait chaque fois qu'une pale de l'hélice passait devant elle. Les Alliés, en retard sur ce point, expérimenteront d'autres méthodes (hélice blindée, tir au-dessus de l'hélice) avant de mettre au point leurs propres solutions en 1916. Reste que même dans les avions de la fin de la guerre, volant à 200 km/h et grimpant à 6 000 m, il fallait avoir du cran pour prendre l'air; jusqu'au bout, l'instrumentation est demeurée rustique: un compte-tours, un manomètre d'alimentation, des jauges d'essence et d'huile, rarement un anémomètre.

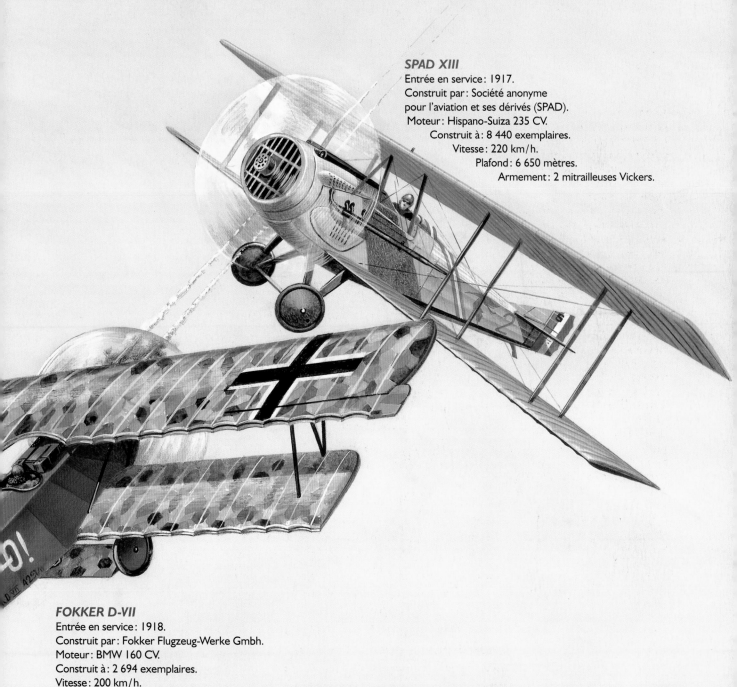

SPAD XIII
Entrée en service: 1917.
Construit par: Société anonyme
pour l'aviation et ses dérivés (SPAD).
Moteur: Hispano-Suiza 235 CV.
Construit à: 8 440 exemplaires.
Vitesse: 220 km/h.
Plafond: 6 650 mètres.
Armement: 2 mitrailleuses Vickers.

FOKKER D-VII
Entrée en service: 1918.
Construit par: Fokker Flugzeug-Werke Gmbh.
Moteur: BMW 160 CV.
Construit à: 2 694 exemplaires.
Vitesse: 200 km/h.
Plafond: 6 400 mètres.
Armement: 2 mitrailleuses Spandau.

LES RAISONS D'UNE BOUCHERIE

14-18?
Un massacre
de fantassins !
Pourquoi ? Parce
que la défense est
presque toujours
plus forte que
l'attaque.
Tour d'horizon
des techniques
de combat.

La première guerre mondiale
a été l'occasion d'améliorer la puissance
de feu de presque tous les armements.
Tous les soldats y ont connu
un enfer inédit.

LES COMBATTANTS DES TRANCHÉES

L'ANGLAIS

Le « tommy » – surnom du soldat anglais – était habillé d'un uniforme kaki, bien adapté aux teintes des tranchées. À partir de 1915, la casquette fut abandonnée au profit d'un casque d'acier. L'armement individuel se composait d'un très bon fusil Mark-III ou d'un fusil-mitrailleur Lewis. Au côté des Anglais combattirent tous les représentants de la couronne britannique (Écossais, Australiens, Néo-Zélandais, etc.) dont beaucoup avaient des uniformes différents.

Royaume-Uni (hors empire)

Population en 1914	Combattants en août 1914	Mobilisés de 14 à 18
45 000 000	100 000	6 000 000

Fusil Lee Enfield Mark-III muni de sa baïonnette

Casque (modèle Adrian)

Fusil-mitrailleur Chauchat

Gourde

Cartouchière

Capote à pans relevés

Bandes molletières (évitent au pantalon de remonter)

Brodequins

LE FRANÇAIS

Le poilu avait commencé la guerre avec un pantalon rouge vif. Or, cette couleur devenant trop voyante dans la boue des tranchées, elle fut remplacée dès 1915 par un bleu clair, dit bleu horizon. À partir de 1915, le soldat gagna aussi un manteau (dit capote) et un casque en acier à la place du képi en feutre. Il était armé d'un fusil Lebel ou d'un fusil-mitrailleur Chauchat.

France (hors colonies)

Population en 1914	Combattants en août 1914	Mobilisés de 14 à 18
39 000 000	1 300 000	8 300 000

Casque doté de tétons
pour y fixer une plaque
de renfort blindée

Bande de
cartouches
souple

Mitrailleuse
Maxim

L'ALLEMAND

Les nouvelles conditions imposées par la guerre de tranchées firent évoluer l'uniforme allemand : la couleur grise (dite feldgrau) fut conservée ; en revanche, le casque à pointe en cuir bouilli fut remplacé à partir de 1916 par un modèle sans pointe et en acier. Par manque de cuir, on cessa de fournir des bottes ; il fallut se contenter de bandes molletières. L'armement individuel était composé d'un fusil Mauser, jugé supérieur aux fusils alliés. Surtout, l'infanterie allemande fut dotée d'une mitrailleuse, la Maxim MG-08, excellente et fournie en plus grand nombre que du côté franco-britannique.

Allemagne

Population en 1914	Combattants en août 1914	Mobilisés de 14 à 18
65 000 000	1 500 000	13 000 000

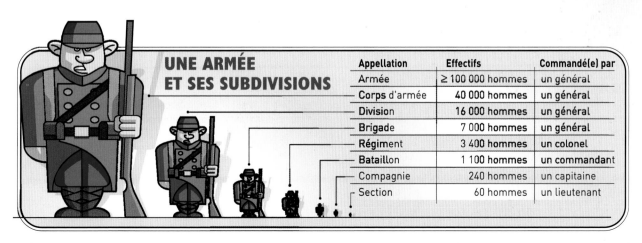

UNE ARMÉE ET SES SUBDIVISIONS

Appellation	Effectifs	Commandé(e) par
Armée	≥ 100 000 hommes	un général
Corps d'armée	40 000 hommes	un général
Division	16 000 hommes	un général
Brigade	7 000 hommes	un général
Régiment	3 400 hommes	un colonel
Bataillon	1 100 hommes	un commandant
Compagnie	240 hommes	un capitaine
Section	60 hommes	un lieutenant

Ballon d'observation allemand

La qualité de la tranchée dépend beaucoup de la nature du sous-sol. Dans le meilleur des cas, on taille directement dans la roche (Vosges). En Champagne, la terre crayeuse devient boueuse avec les pluies. En Flandre, on tombe très vite sur la nappe phréatique qui inonde la tranchée : impossible de creuser, il faut élever des parapets avec des sacs de terre.

Canons allemands de 77 mm

Casemate en béton pour mitrailleuses fixes.

Parados

Parapet

Claies et planches

Cagna

Étais de bois

Lattes de bois

Banquette de tir

VIVRE COMME DES RATS

Dans la tranchée, la terre s'effondre sous son propre poids ; quand il pleut, elle devient liquide. Voilà pourquoi les soldats consolident les parois par des claies tressées autour de pieux, voire des planches ou des plaques de tôle. Au sommet, côté front, on entasse des sacs de terre (le parapet) pour abriter contre les tirs directs et les éclats

AU CŒUR DES TRANCHÉES ALLEMANDES

Dans les dernières semaines de 1914, les troupes s'enterrent; pendant quatre ans, elles vont creuser des milliers de kilomètres de tranchées organisées en réseaux. À cet exercice, les Allemands sont les meilleurs. D'abord parce qu'ils ont choisi d'arrêter leur retraite de 1914 sur les points les plus faciles à défendre, les hauteurs notamment. Ensuite parce qu'ayant décidé de rester un bon moment sur la défensive à l'ouest, ils ont tout intérêt à édifier de solides fortifications. Les Français, eux, refusent de s'installer dans des tranchées faites pour durer. Pour deux raisons. Un: il faut libérer les départements occupés par l'ennemi. Deux: les généraux sont obsédés par l'attaque et croient dur comme fer à la «percée». Et pourtant, jusqu'au printemps 1918 et la reprise de la guerre de mouvement, les tranchées vont déjouer toutes les attaques.

Boyau de communication entre tranchées: étroit, moins bien étayé que la tranchée, il est fragile; l'emprunter la nuit est un calvaire.

Tranchée de 3e ligne

Tranchée de 2e ligne: point de départ des renforts et refuge en cas de retraite.

Tranchée de 1ère ligne: la plus exposée au feu de l'ennemi. Sous un bombardement, elle devient méconnaissable.

Le tracé des tranchées évite les longues lignes droites: un obus qui y tomberait ou un mitrailleur ennemi tirant en enfilade causeraient trop de morts. Elles sont donc tracées en zigzag. Au bout d'un certain temps, on les baptise d'un nom, comme par exemple «tranchée du Kaiser», plus facileà mémoriser qu'un numéro.

Barbelés

Barbelés

Poste de guet avancé

No man's land: c'est le territoire qui sépare les deux belligérants. Jamais supérieur à un kilomètre, il est parfois inférieur à 20 mètres! Chaque armée l'emprunte à tour de rôle pour lancer ses offensives.

Mine souterraine pour atteindre l'ennemi par-dessous. Une fois sous sa tranchée, on accumule des centaines ou des milliers de kilos d'explosif qu'on fait sauter. Pour éviter d'être englouti dans les énormes cratères, l'ennemi creuse alors des «contre-mines» pour démolir la mine, à l'explosif, avant qu'elle n'atteigne son objectif. Vauquois et Les Éparges, dans la Meuse, furent les hauts lieux de la guerre des mines.Mine souterraine pour atteindre l'ennemi par-dessous. Une fois sous sa tranchée, on accumule des centaines ou des milliers de kilos d'explosif qu'on fait sauter. Pour éviter d'être englouti dans les énormes cratères, l'ennemi creuse alors des «contre-mines» pour démolir la mine, à l'explosif, avant qu'elle n'atteigne son objectif. Vauquois et Les Éparges, dans la Meuse, furent les hauts lieux de la guerre des mines.

d'obus. On en met aussi de l'autre côté de la tranchée (le parados), afin de se protéger contre les obus qui éclatent derrière. Au pied du parapet, on ménage des trous (les créneaux), parfois renforcés par des triangles de bois qui servent aux soldats à tirer, debout ou agenouillés sur la banquette de tir. Le fond de la tranchée est recouvert de lattes de bois pour protéger contre les eaux de ruissellement. La tranchée n'a pas de toit: en s'effondrant sous les explosions, il piégerait les soldats. En revanche, on tend parfois des filets contre les grenades. Lorsque le canon ennemi tonne, les soldats se réfugient dans la «cagna» – ou «gourbi» – creusée en profondeur, renforcée par des étais de bois et par des madriers dans le plafond.

Barbelés

Tranchée française de première ligne.

LE 75, CANON-ROI

Pour les soldats français, c'est le canon miracle! Le 75 mm modèle 1897 est supérieur en tout à son rival allemand de 77 mm: il est deux fois plus rapide, tire plus loin des obus plus destructeurs. Quand la guerre éclate, la France peut aligner près de 5000 canons de 75. Dans les batailles de 1914, leur tir tendu s'avère redoutable face à des fantassins. Hélas, le 75 n'est conçu ni pour les tirs courbes, ni pour les objectifs enterrés; il va donc très vite montrer ses limites dans la guerre de tranchées. Alors que l'armée allemande, elle, a pris soin de se doter de canons de 105 mm et 150 mm, dont le tir long et courbe vient pilonner les batteries de 75 incapables de riposter. Il faudra attendre 1916 pour que l'artillerie lourde alliée égale celle de l'Allemagne.

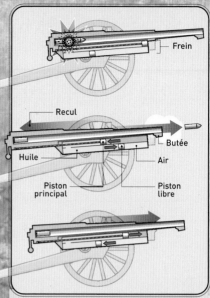

(1) Le premier pourvoyeur extrait un obus du caisson et le tend au déboucheur.
(2) Le déboucheur règle les obus à balles (voir p. 65) selon les instructions reçues; ce réglage permet à l'obus d'éclater en l'air à une distance donnée. En revanche, sauf exceptions, les obus explosifs ne sont pas réglés.
(3) Le second pourvoyeur passe l'obus au chargeur.
(4) Le chargeur l'introduit dans la chambre du canon.
(5) Le tireur ouvre et ferme la culasse (partie arrière du canon) et actionne le tire-feu qui fait partir l'obus.
(6) Le pointeur veille à ce que le canon reste pointé sur son objectif.
(7) Un chef de pièce, souvent sous-officier, dirige la manœuvre.

Un frein révolutionnaire

Le 75 peut tirer jusqu'à 20 coups par minute: une vitesse rendue possible par son frein qui absorbe le recul, ce qui évite de repositionner le canon à chaque coup. Situé sous le canon, le frein est composé de deux pistons (dont un libre) et deux cylindres qui communiquent, remplis d'huile et d'air comprimé. Quand on tire **(1 et 2)**, le tube du canon recule; le piston principal aussi, en écrasant l'huile chassée dans le cylindre inférieur. Le piston libre comprime l'air. Une butée stoppe le mouvement. Lorsque l'air se décompresse **(3)**, le canon est ramené à sa position de départ.

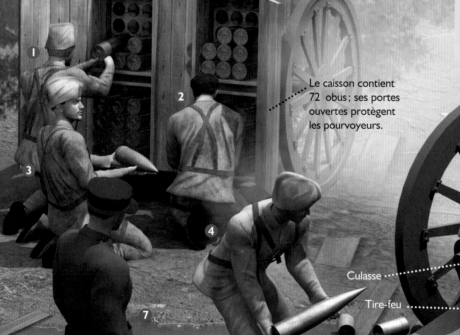

Le caisson contient 72 obus; ses portes ouvertes protègent les pourvoyeurs.

Culasse

Tire-feu

Une lame d'acier, la bêche, s'enfonce dans le sol et stabilise le canon.

Douille d'obus éjectée

Quatre catégories de canons

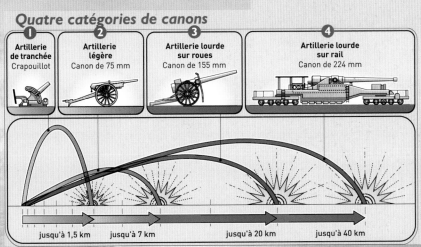

| ① Artillerie de tranchée Crapouillot | ② Artillerie légère Canon de 75 mm | ③ Artillerie lourde sur roues Canon de 155 mm | ④ Artillerie lourde sur rail Canon de 224 mm |

jusqu'à 1,5 km   jusqu'à 7 km   jusqu'à 20 km   jusqu'à 40 km

(1) Artillerie de tranchée : tir en cloche, à faible portée, pour tomber directement dans la tranchée adverse.

(2) Artillerie légère : tir tendu pour atteindre des objectifs visibles : soldats, canons, véhicules, etc.

(3) Artillerie lourde de campagne : tir courbe pour pilonner des objectifs lointains, souvent invisibles, enterrés ou fortifiés.

(4) Les canons les plus massifs (plusieurs centaines de tonnes) sont montés sur wagons et déplacés par train : c'est l'artillerie lourde sur voie ferrée (ALVF).

Obus à balles et obus explosif

Le canon de 75 est doté de deux types de munitions : l'obus à balles (ou shrapnels) qui explose en l'air et libère une pluie mortelle de balles de plomb ; et l'obus explosif, le plus utilisé dans la guerre de tranchées, qui éclate à l'impact, tuant par effet de souffle et projections d'éclats. Certains obus explosifs sont aussi réglables pour éclater en l'air ; l'effet produit est semblable à celui de l'obus à balles.

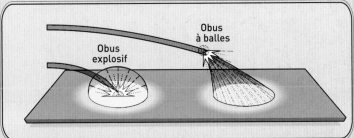

Obus explosif — Obus à balles

Butée

Frein

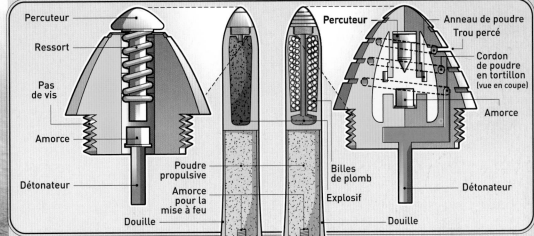

Percuteur — Ressort — Pas de vis — Amorce — Détonateur — Poudre propulsive — Amorce pour la mise à feu — Douille

Percuteur — Anneau de poudre — Trou percé — Cordon de poudre en tortillon (vue en coupe) — Amorce — Billes de plomb — Explosif — Détonateur — Douille

Obus explosif

Il contient un explosif de type mélinite.
Au contact avec le sol, la pression du percuteur allume un détonateur qui fait exploser, via une amorce, la charge explosive. L'enveloppe d'acier, épaisse, se déchire alors en une centaine d'éclats.
La douille en laiton contient la poudre qui propulse l'obus ; cette douille reste dans la chambre du canon.

Attention ! Si vous trouvez un vieil obus, n'y touchez surtout pas ! Et prévenez la gendarmerie.

Obus à balles

Le moment de l'explosion est réglé à l'avance. Avant le tir, le déboucheur (voir dessin p. 64) troue la tête de l'obus jusqu'à atteindre un cordon de poudre enroulé en tortillon. Plus le trou est bas, plus l'obus éclate tôt. Lorsque le coup part, le percuteur est propulsé vers le bas et frappe une amorce ; celle-ci produit une étincelle qui enflamme un anneau de poudre. La flamme s'échappe par le trou ; au passage, elle allume le cordon. Une fois le cordon consumé, il allume le détonateur qui déclenche l'explosion. Et les 300 billes de plomb s'échappent de l'enveloppe.

Les avions renseignent les artilleurs sur la précision de leur tir. Éliminer les appareils ennemis, c'est donc aveugler les canons.

Une fusée verte ? Le signal d[u] fantassin aux artilleurs pour allongez le tir !

NO MAN'S LAND

Le lance-flammes fut aussi utilisé pour le nettoyage de tranchées.

DEUXIÈME LIGNE FRANÇAISE

Les murs de la mort

Qu'ils soient ancrés à des tiges de fer vrillées dans le sol ou à des piquets de bois, les barbelés sont infranchissables. Avant toute attaque, il est impératif de les détruire au canon ; à défaut, d'ouvrir un passage à la cisaille. La réparation de ses propres barbelés, la nuit, avec des maillets enveloppés de linges pour étouffer les heurts, est la pire corvée du fantassin.

À L'ATTAQUE !

L'assaut: dans la boue des tranchées, on le craint plus que tout. En une journée, des dizaines de milliers d'hommes peuvent être envoyés, au pas de course, vers la tranchée adverse. Un choix extrêmement coûteux en vies. Si l'on ne regarde que l'infanterie française, l'arme des combattants à pied, donc la plus exposée, un homme du rang sur quatre est mort. Et un officier sur trois…

❶ PRÉPARATION D'ARTILLERIE : les canons français matraquent les tranchées allemandes, parfois plusieurs jours avant l'offensive. Ils cherchent à détruire les casemates, les barbelés, les canons, voire à rendre fous les soldats ennemis dans leurs abris. Lors de l'offensive d'avril 1917, sur un front de 40 km, on comptait un canon de 75 et une pièce lourde tous les 20 m. !

❷ LA PREMIÈRE VAGUE D'ASSAUT quitte la tranchée de première ligne. Les poilus ont été rassemblés, en grappes, au niveau des échelles et se sont élancés aux coups de sifflet donnés par les officiers. Il leur a fallu franchir, par des «portes» ménagées à l'avance, leur propre réseau de barbelés.

❸ UNE SECONDE VAGUE se constitue à partir des renforts issus des tranchées arrière.

❹ DANS LE NO MAN'S LAND, les combattants sont exposés aux balles de mitrailleuses et aux obus – parfois tirés par erreur par leurs propres batteries. Quand c'est possible, ils utilisent la protection d'une ruine ou d'un des innombrables cratères d'obus. Si l'artillerie a bien fait son travail, les barbelés ennemis sont disloqués. Hélas, ils sont parfois retombés au sol dans un état qui les rend encore plus difficiles à franchir…

❺ LES SOLDATS ONT POUR OBJECTIF d'aller aussi loin que possible chez l'ennemi: pas seulement la tranchée de première ligne en général désertée par ses défenseurs (les «nettoyeurs de tranchées» tueront ceux qui restent, à la grenade et parfois à l'arme blanche), mais aussi la deuxième ligne ennemie, voire les batteries de canons. S'ils y parviennent, c'est la rupture du front ; par cette brèche, on pourra chercher à prendre les autres tranchées à revers. Côté allié, cela n'est jamais arrivé, notamment parce que l'artillerie, sur un sol ravagé, était incapable de suivre la progression des fantassins.

DEUXIÈME LIGNE ALLEMANDE

PREMIÈRE LIGNE ALLEMANDE

PREMIÈRE LIGNE FRANÇAISE

❷

Les grenades à main

Connues de longue date – les armées napoléoniennes en usaient –, les grenades étaient réservées à la guerre de siège. D'abord peu fiables puis nettement améliorées à partir de 1915, elles devinrent très précieuses pour prendre et «nettoyer» les tranchées ennemies. En juillet 1916, lors des combats autour de Pozières, les alliés en utilisèrent 15000 en une seule nuit !

Grenade artisanale

Mèche

Dans une boîte de conserve, une simple mèche reliée à un explosif.

Détonateur

Explosif

Morceaux de métal

La «Mills Bomb»

Percuteur · Cuillère

Vis pour remplissage d'explosif

Goupille

Explosif

Amorce

Quand on retire la goupille et la cuillère, le percuteur frappe une amorce qui allume un cordon de poudre ; dans celui-ci, le feu met quelques secondes à atteindre le détonateur et l'explosif.

Détonateur

Cordon de poudre

Malgré leur fusil antichars, les soldats allemands
ne peuvent stopper l'avance de ce char Mark-V britannique.

ENFIN LES CHARS !

En 1914, le char blindé n'existe pas ; c'est la guerre des tranchées qui le rend nécessaire pour approcher l'ennemi sans subir le feu des mitrailleuses et les éclats d'obus. L'idée initiale en revient aux Britanniques, et curieusement à leur Marine alors dirigée par Winston Churchill qui lance son premier projet de char, ultra-secret, sous le nom de code Tank (« réservoir » en anglais). Les 48 premiers spécimens, des Mark-I de 10 mètres de long et 26 tonnes, sont engagés sur la Somme le 15 septembre 1916 ; malgré un certain succès de l'offensive, le front allemand n'est pas percé. Les Français s'y mettront aussi dès 1914 à l'initiative du colonel Jean-Baptiste Estienne, mais ne produiront leurs premiers chars – des modèles Schneider et Saint-Chamond – que plus tard ; assez peu performants, ils seront supplantés en 1918 par l'excellent FT 17 (voir dessin ci-dessous). Les Allemands, eux, n'ont pas cru au char, trop vulnérable aux obus selon eux. Aussi ne construisent-ils qu'une vingtaine d'énormes A7V de 30 tonnes et 18 hommes d'équipage, qui ne joueront qu'un rôle anecdotique. Ironie de l'histoire : les généraux allemands méditeront cette erreur et feront des blindés le secret de leurs victoires pendant la Seconde Guerre mondiale.

FT-17 : le premier vrai char

Tourelle
Mitrailleuse
Roue tendeuse
Moteur
Queue de stabilisation

FT pour faible tonnage : le char du constructeur automobile Louis Renault est léger (7 t) mais costaud. Sa mitrailleuse – ou son canon de 37 mm sur certains modèles – est dirigée par l'un des deux hommes d'équipage, le tireur, qui l'oriente grâce à ses hanches sur 360°. L'autre équipier, le conducteur, emporte l'engin à 7 km/h maxi, soit environ 115 m/min, avec une autonomie de 35 km. Sa tourelle, assez bien blindée (22 mm) et ses chenilles, actionnées par deux grandes roues tendeuses, en font le premier char doté d'une silhouette moderne.

Moteur Renault 4 cylindres à essence de 35 ch
Longueur : 5 mètres (avec la queue de stabilisation, utile pour franchir les tranchées larges sans se retourner).
Largeur : 1,70 mètre
Hauteur : 2,10 mètres

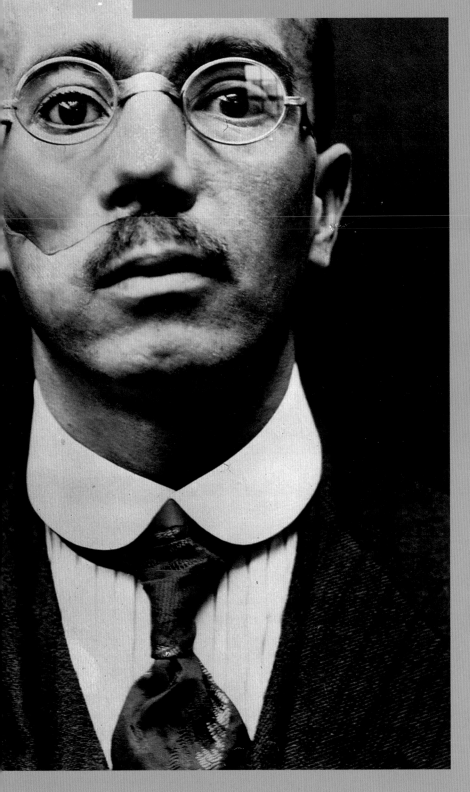

UNE VIOLENCE JAMAIS VUE

La guerre, forcément, c'est violent. Mais 14-18 a franchi les bornes. Prisonniers, blessés, civils, personne n'a été respecté. Pire, en certains pays, la violence s'est incrustée dans la société, même après la fin officielle de la guerre.

Une «gueule cassée», avant et après la pose d'une prothèse faciale. L'usage intensif de l'artillerie causera d'horribles blessures.

55

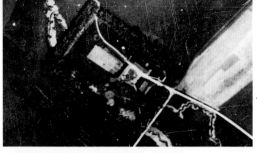

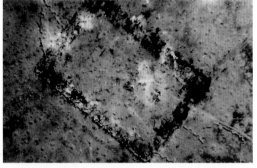

Ci-dessus, à gauche :
dans la boue d'Argonne, les
brancardiers ramassent les morts.
Au risque de se faire tuer
eux-mêmes, car cette guerre
n'admet aucune trêve humanitaire.
A droite, de haut en bas :
trois clichés aériens donnent
une idée de ce que furent
les pilonnages d'artillerie en 14-18.
En haut, la ferme de Faffémont,
dans la Somme, le 26 avril 1917,
flanquée d'une ligne de
tranchées allemandes.
La même ferme, le 28 juillet,
après les premiers tirs britanniques
accompagnant l'offensive
de la Somme.
Et encore la même,
le 1er septembre, disparue
dans les cratères d'obus.
Plus lunaire que la Lune !

LE CHAMP DE BATAILLE UN NOUVEL ENFER

Entre 9 et 10 millions de morts et disparus au combat : les pertes de la Première Guerre mondiale sont hallucinantes. C'est comme si la population actuelle de la Belgique s'évanouissait… Comment faire sentir l'ampleur de cette incroyable saignée ? Rien qu'en France, 1,4 million d'hommes ne sont pas revenus. Les guerres de la Révolution française, puis celles de Napoléon Ier, avaient fait autant de morts, mais en vingt-trois ans. La guerre de 14 n'en aura pris que quatre.

Chaque jour, 900 soldats sont tombés côté français, 457 côté britannique, 1 300 côté allemand et 1 459 côté russe. Vue ainsi, et à l'exception des Russes, même la Seconde Guerre mondiale ne sera pas plus meurtrière.

Bien sûr, cette moyenne ne tient pas compte d'énormes écarts selon les mois et les années : entre août et novembre 1914, lors de la sanglante guerre de mouvement, 2 730 soldats français périrent quotidiennement. Pourquoi cette macabre arithmétique, demanderez-vous ? Les champs de bataille n'ont-ils pas toujours été des mouroirs ? Si, mais dans les guerres anciennes, celles d'Alexandre le Grand, de Louis XIV ou de Napoléon Ier, la maladie tuait plus que les balles, à commencer par le terrible typhus véhiculé par les poux. En 14-18, seul un décès de combattant sur six est dû à la maladie. L'artillerie, nouvelle reine de la bataille, a prélevé le plus lourd tribut, émiettant, démembrant, pulvérisant les corps.

Idem pour les blessures. On estime qu'au XIXe siècle, 85 % des blessés de guerre l'étaient par balles. Durant la Première Guerre mondiale, c'est exactement l'inverse : 70 à 80 % des blessures sont causées par les obus et leurs éclats qui éventrent, tranchent, occasionnent des blessures jamais vues. Même l'effet de souffle est effroyable : il lèse les parties molles et cause la mort par hémorragie interne, parfois au bout de plusieurs heures. En France, on comptera 2,8 millions de blessés. La moitié l'a été deux fois ; plus de 100 000 trois ou quatre fois. Mieux vaut être blessé que mort, dira-t-on. Certes, sauf que la blessure a souvent signifié la mort, alors même que la chirurgie de guerre avait fait de grands progrès. Pour une raison simple : en 14-18, secourir les combattants blessés relève de l'exploit. Dans chaque camp, en effet, on leur tire dessus, et aussi sur les brancardiers qui les ramassent !

D'INCROYABLES CRUAUTÉS

Oui, ce fut une autre nouveauté de la « Grande Guerre », ô combien sinistre. On ne respecta pas la Convention de la Croix-Rouge sur l'amélioration du sort des blessés. Et pourtant, l'Allemagne, la France et le Royaume-Uni l'avaient signée en 1906. Tant pis, la haine fut trop forte. Même les hôpitaux militaires et les navires-hôpitaux furent pris pour cibles. Il fallait attendre la nuit pour être secouru, et encore les brancardiers risquaient-ils gros. Sans cet acharnement sur les blessés, on estime qu'un tiers des 20 000 morts du 1er juillet 1916, premier jour de l'offensive sur la Somme, aurait pu être épargné.
À l'est, où s'affrontèrent Allemands et Russes, la détestation conduisit même parfois à d'incroyables cruautés. Des

visages furent défoncés, des yeux crevés ou extraits des orbites ; des oreilles, des nez, des langues, des doigts furent coupés, des organes sexuels tranchés, la peau écorchée, des corps crucifiés ou vidés comme des lapins. L'humanité de l'ennemi fut niée, on le traita comme un animal.
En 14-18, le front est devenu un lieu de terreur et de vulnérabilité absolues, où le danger est invisible et menace de plus enplus loin. L'habileté aux armes, la résistance physique, le courage n'y sont plus des atouts ; il faut compter sur la chance seule. C'est psychologiquement destructeur ; beaucoup de survivants se demanderont : pourquoi, moi, ai-je survécu et pas mon frère ou mon meilleur ami ? L'idée même de bataille a changé de sens. Naguère, le soir même, au plus tard le lendemain, on connaissait le vainqueur. En 14-18, l'horreur s'éternise dix mois à Verdun, huit à Gallipoli, cinq sur la Somme, etc., le tout sans résultat décisif. Cela ne fut possible que parce que le réservoir en hommes, alimenté parle service militaire obligatoire, a paru inépuisable. Avec des armées de professionnels, comme c'était le cas avant le XIXe siècle, jamais la guerre de 14-18 n'aurait été possible.

LES MISÈRES DES NON-COMBATTANT

Les soldats de la Grande Guerre ont vécu un tel calvaire qu'en regard le sort des non-combattants, longtemps, a paru bien enviable. Et pourtant.
Prenez les prisonniers de guerre, soldats mis hors d'état de combattre. En 1917, on en comptait 1 858 000 en Allemagne dont 600 000 Français : autant de captifs, on ne l'avait pas vu depuis que César avait conquis la Gaule…
Une fois entre les mains des Allemands, les soldats français gagnèrent l'Allemagne à pied, à marche forcée. Sur place, un mauvais logement dans des baraques de bois ceinturées de barbelés les attend. Les officiers aussi : sous Napoléon Ier, en 1 870 encore, lors de la guerre franco-allemande, les officiers pouvaient être relâchés sur parole s'ils promettaient de ne pas reprendre le combat. Plus question, en 14-18, de ce genre d'esprit chevaleresque.
La vie dans les camps de prisonniers –

on en comptera 120 principaux en Allemagne et jusqu'à 100 000 petits – ne portait guère à la rigolade. On souffrait : de l'ennui, de la crasse, et surtout de la faim. Une soupe claire, un mauvais morceau de pain contenant tout sauf de la farine (sciure de bois, épluchures de patates, etc.) étaient le lot quotidien. Bientôt, Français et Britanniques ne survécurent que par les colis qu'ils recevaient, de leur famille ou de leur gouvernement. Russes, Roumains ou Italiens n'eurent pas cette chance. Le typhus, la tuberculose, la diphtérie emportèrent les moins résistants.
D'autant qu'il fallait travailler. Les Allemands, eux-mêmes étranglés par le blocus économique allié, regroupèrent ces bouches inutiles dans des commandos de travail. Mieux valait être affecté dans une ferme, et être correctement nourri, que dans une mine de charbon à la merci d'un accident grave ou d'une maladie respiratoire.

Tournai, Belgique, deux jours après l'armistice. Des adolescents français déportés par les Allemands retournent au pays : encore une triste innovation de la Première Guerre mondiale.

LA VIE DES CIVILS RENDUE INTENABLE

Protester contre ces mauvais traitements, c'était s'exposer à des punitions, attaché durant des heures à un poteau ou à marcher au pas de course sac au dos. Les représailles collectives étaient terribles.

Les prisonniers étaient par exemple expédiés dans les tranchées allemandes les plus « chaudes », pour consolider les parapets, enterrer les morts, tresser du barbelé, etc. Entre janvier et juin 1917, 10 000 de ces « boucliers humains » français furent ainsi mis à l'ouvrage sous les obus de leurs propres compatriotes.

Les souffrances les plus injustes furent infligées aux civils. Dès l'invasion de la Belgique, les troupes allemandes ont multiplié viols et pillages. Pire encore : dans la ville de Dinant, conquise le 23 août 1914, plusieurs centaines d'habitants furent sommairement fusillés dans la rue. Pourquoi ? Parce que les soldats allemands avaient essuyé des coups de feu qu'ils attribuaient à des tireurs civils isolés ; or, la consigne était d'abattre tout civil qui résisterait par les armes. En vérité – tragique méprise –, les coups de feu avaient été tirés par un régiment français en repli. Durant les trois premiers mois de la guerre, 6 500 personnes furent ainsi exécutées en Belgique mais aussi dans le nord de la France.

À dire vrai, les soldats allemands n'eurent pas le monopole du crime de guerre. Les Russes tuèrent et violèrent en Prusse allemande. En Serbie aussi, viols collectifs, mutilations et éventrations au sabre furent commis avec une sauvagerie inouïe par des soudards austro-hongrois.

Avec l'occupation des régions conquises – Belgique et dix départements français du Nord et de l'Est –, les malheurs des civils changèrent de visage. Logés chez l'habitant, les soldats allemands asphyxièrent le pays, réquisitionnant vivres, grains, cuir, bois, cuivre, et même la laine des matelas. Les machines industrielles furent démontées et livrées outre-Rhin. On souffrait de la faim, en particulier en ville où le chômage régnait. Là encore, la malnutrition favorisait coqueluche, rougeole, scarlatine, typhoïde. « *En temps ordinaire, deux fossoyeurs suffisent à Roubaix, il y en a maintenant six* », déplore une habitante [1]. La vie était rendue intenable par l'occupant. Pour la moindre chose, il fallait un laissez-passer, une autorisation : aller au village d'à côté, enterrer un mort... La population fut mise au travail forcé : jeunes hommes à creuser des tombes, jeunes filles aux étables ou aux betteraves, enfants aux troupeaux. Malgré cela, l'administration d'occupation ne supporta bientôt plus ces citadins-bouches-à-nourrir.

Elle encouragea d'abord les départs volontaires – et payants ! –, avant de déporter. En 1916, à Pâques, 20 000 Français du Nord et de l'Est, en grande partie des femmes, furent évacués de force vers d'autres départements français. En tout, c'est au moins 100 000 civils – Belges et Français déportés en Allemagne, Allemands déportes en Russie – qui furent déplacés de force. Et davantage encore de Serbes en Autriche, Hongrie ou Bulgarie.

Pour les hommes de plus de 14 ans, en revanche, pas question de les laisser déguerpir : ils auraient pu s'enrôler dans l'armée d'en face. On les regroupa, sous la contrainte, dans des bataillons de travailleurs, les « brassards rouges ». Eux aussi eurent la charge de construire des tranchées sous la menace des canons français. Faire œuvrer des civils contre leur patrie est interdit parles conventions de La Haye, signées par l'Allemagne, mais tant pis... Les brassards rouges mangeaient peu, mal. Ils souffraient de maladies et, malgré l'absence totale de statistiques, mouraient probablement en nombre. Sans parler de leurs tourments intérieurs : « *Nous avons dû construire des tranchées pour tuer nos pères, nos frères, nos cousins* », se lamente l'un d'eux [2].

Selon les historiens, à plusieurs égards, l'occupation allemande de 14-18 a été pire que celle de 1940-1944...

(1) et (2) Cités par l'historienne Annette Becker dans *Oubliés de la Grande Guerre*. Éd. Noêsis.

UNE VIOLENCE QUI SE PROLONGE

La guerre de 14-18 va déteindre sur les années 20 et 30. Certes, sitôt les combats finis, la plupart des anciens combattants n'ont eu qu'un désir : qu'on les laisse vivre en paix. Il n'empêche : surtout en Allemagne et en Italie, la vie politique se durcit considérablement, devenant une sorte de guerre permanente.

Dans ces deux pays – officiellement des démocraties, pourtant – l'adversaire politique va être traité comme un ennemi que l'on hait, qu'il faut éliminer par la force. C'est bien sûr contraire à l'esprit même de la démocratie qui veut régler les conflits par le vote, la discussion, la négociation. Cette contamination belliqueuse des esprits, l'historien américain George Mosse l'a baptisée d'un vilain mot : « brutalisation ».

Les partis d'extrême droite (nazis allemands, fascistes italiens) et d'extrême gauche (communistes) sont les plus touchés par cette « brutalisation ». Regardez le parti nazi dont Hitler a pris la tête en 1920. À un membre du parti, on ne demande pas un service, on donne un « ordre d'action ». Un acteur ou un danseur ne donne pas une représentation pour le parti, il reçoit un « ordre de marche ». Le mot « front », référence au champ de bataille, figure dans le nom des organisations du parti comme l'Arbeitsfront (Organisation nazie du travail). Les militants nazis portent un uniforme et reçoivent même une instruction militaire. Une vraie petite armée, quoi. Quel est l'idéal des nazis allemands et des fascistes italiens ? Quel modèle proposent-ils aux jeunes ? Regardez la trombine de leurs chefs – Hitler, Mussolini – et vous comprendrez : visage fermé, mâchoires serrées, regard dur, viril, courageux, voulant commander et obéir, prêt à mourir pour sa patrie. Bref, un soldat idéal. Comme ceux qui n'étaient pas dans les tranchées rêvaient d'en voir… dans les tranchées.

LA VIOLENCE DEVIENT UN MODE DE VIE, UN IDÉAL

Cette violence italienne et allemande d'après-guerre est une violence verbale mais aussi physique. On traîne l'adversaire dans la boue, on le salit, on le fait chanter. Des bandes armées perturbent les réunions électorales, matraquant et assassinant : 324 meurtres (pour la seule extrême droite) de 1919 à 1923 en Allemagne, dont deux ministres ! Pour la plupart, les meurtriers sont d'anciens soldats de 14, parfois sous les ordres de leurs anciens officiers. D'autres anciens combattants allemands se regroupent en « corps-francs », véritables petites armées privées qui exterminent les « Rouges » ou interviennent aux frontières. En Italie, les fascistes de Mussolini paradent aussi dans les rues, matraque au côté et revolver en main. Ils arriveront ainsi au pouvoir dès 1922. L'Europe d'avant 1914 n'avait pas connu tout cela. Bien sûr, la violence s'y déchaînait de temps à autre, mais surtout durant les guerres. La grande nouveauté des années 20 et 30, c'est que la violence libérée par 14-18 n'a plus voulu retourner dans la boîte d'où elle était sortie. Elle est devenue un mode de vie, un idéal pour une partie de la population. Elle préparera ainsi le terrain à une nouvelle guerre mondiale, encore plus brutale.

La Grande Guerre a fait basculer l'Italie et l'Allemagne dans une violence quotidienne, véritable héritage des tranchées. Ci-dessous, en Allemagne, la police tente de séparer les troupes d'assaut nazies des combattants du « Front rouge » (communistes, en camion). Uniformes, blessés, drapeaux : croirait-on que la guerre est alors finie depuis douze ans ?

L'ABÉCÉDAIRE DU POILU

Comment l'on vivait dans les tranchées. D'artisanat à soupe, en passant par Boche et marmitage, coup d'œil à la misère, aux espoirs et aux désespoirs du combattant français de 14-18.

La boue, le courrier, la gnôle, les poux, les rats... Quelques mots du quotidien des soldats dans les tranchées.

ARTISANAT (DE GUERRE)

Longues heures creuses qui se traînent, entre veilles, corvées et combats. Parmi les poilus, les «intellectuels» se noient dans la lecture. Mais la majorité des soldats sont des paysans, des manuels, qui retrouvent très vite les gestes de l'artisanat. Exactement comme les marins de jadis, autres solitaires qui ciselaient fanons de baleines et dents de cachalots pour en faire d'admirables bibelots. Au front également, c'est le métier qui fournit la matière : douilles de cartouches, ceintures et fusées d'obus, boutons d'uniformes allemands. Et les hommes des tranchées fondent l'aluminium, martèlent le cuivre, pour en faire des objets d'usage immédiat – lampes, cendriers, briquets à mèche d'amadou – mais aussi des bracelets, des pendentifs, des bagues gravées d'initiales, qu'ils enverront à quelque lointaine aimée.

BOCHE

Contraction du terme argotique «Alboche», c'est-à-dire Allemand. C'est l'appellation la plus courante, parmi d'autres plus ou moins injurieuses. Vis-à-vis du Boche, le poilu éprouve une sombre antipathie, mêlée d'une vague estime pour ses évidentes qualités de combattant. Sentiments qui peuvent évoluer selon les circonstances : «Finalement ce sont de pauvres bougres, comme nous…» ou encore «*Ah, les salauds ! Ils nous le paieront !*»

BONHOMME

C'est ainsi que se désignent les fantassins de cette guerre. Ces bonshommes présentent un aspect rustique, lourd et boueux. Ils sont hirsutes et souvent barbus (mais le port du masque à gaz les incitera bientôt à se raser). Comme tels, les journalistes de l'arrière les trouvent «pittoresques» et croient les glorifier du nom viril de «poilus». Les combattants des tranchées n'aiment pas trop ce sobriquet ridicule, mais les civils et les journaux en raffolent ! Alors, bon, ils en prennent l'habitude, ils seront «les poilus» et le resteront pour l'éternité. Même si, entre eux, ils se qualifient toujours, fraternellement, de «bonhomme».

BOUE

La pluie qui noie tout, cagnas et boyaux. Et son inévitable corollaire : la boue, supplice du fantassin. Plaines crayeuses de Champagne, glaiseuses de Picardie et de Flandre, constellées de cratères inondés ; tranchées étroites dont le piétinement des hommes fait des cloaques. Océan visqueux, malédiction gluante. C'est la boue qui fournira la «couleur» du gigantesque conflit. C'est elle, mêlée d'excréments et de cadavres pourrissants, qui laissera le souvenir le plus obsédant. «*On s'y enfonce, on y glisse doucement… Les parapets s'écroulent par blocs. Vingt fois de suite on a clayonné cette masse qui coule quand même et se détache. Tout disparaît dans ce liquide pesant… La boue recouvre les galons. Il n'y a plus que de pauvres êtres qui souffrent. L'enfer, c'est la boue !****»

(*) Toutes les citations en italique sont d'authentiques paroles de combattants.

Le sous-lieutenant d'artillerie donne une petite sérénade aux copains sur un violoncelle fait maison.

CAFARD

Tout poilu a connu des heures de déprime intense, de tristesse accablée, de lassitude morale. Comment s'en étonner? La vie de chien, l'omniprésence de la mort, l'éloignement des êtres aimés, les mauvaises nouvelles de tous les fronts, cette maudite guerre qui n'en finit pas, la fatigue… Vient un moment où «la bonne humeur du troupier» n'est plus qu'une amère résignation, où l'humour des tranchées paraît sinistre. Et l'on voit craquer les cœurs les plus fermes, les caractères les mieux trempés. L'étonnant, c'est que les «cafardeux» arrivent à surmonter leur misère, par un mélange de tabac humide, de mauvais café, de fatalisme et d'ironie noire: *«À quoi bon vous creuser la tête? Un obus s'en chargera.»* *«Le cafard est bénin, sauf s'il se complique d'éclats d'obus, auquel cas il peut entraîner la mort.»*

COURRIER

Lettres reçues de l'arrière, lettres expédiées aux «proches»… si lointains! Cordon ombilical reliant à la vie normale. Courrier aussi précieux, aussi nécessaire que la boule de pain, la soupe, le quart de «jus» (le café) ou de pinard. Belles missives empreintes de noblesse, pauvres cartes maladroites et boueuses: le poilu écrit fiévreusement, accueillant chaque réponse comme un rai de lumière dans son obscur quotidien. En quatre ans ce sont 10 milliards d'enveloppes et de petits colis, qui «montent» au front ou en «descendent», de la mer du Nord aux confins du Jura, par une formidable organisation aboutissant aux vaguemestres, ces facteurs militaires qu'on traite d'embusqués et dont beaucoup, pourtant, se feront tuer en accomplissant leur tâche. Courrier de guerre, bouffée de vie dans un monde de mort: jamais les Français ne se seront tant écrit!

Bonhomme bête de somme chargé de 40 kg.

CORVÉES

La plupart du temps, le soldat ne se bat pas: il est occupé à des corvées mornes, épuisantes, dangereuses, souvent effectuées de nuit. Par exemple, creuser des tranchées, étayer des abris, planter des piquets, dérouler des fils barbelés, emplir des sacs de terre, transporter des caisses de munitions et du matériel pesant, apporter la nourriture en première ligne, enterrer les morts…

EMBUSQUÉS

Ce terme désigne tous ceux qui ont dégoté une bonne planque à l'arrière, alors qu'ils devraient être au front, prenant leur part des peines et des dangers. Il y a des degrés dans l'embuscade. Pour tout militaire, la plupart des «pékins» (civils mâles en âge de combattre) sont des embusqués. Pour tout combattant, le militaire non combattant (freluquet d'état-major, troupier des services logistiques, etc.) en est un aussi. Pour le fantassin des tranchées, les gens de l'artillerie «lourde» sont des embusqués car ils vivent à plusieurs kilomètres des tranchées. Et même au sein de l'infanterie, quelle différence entre le vaguemestre (sous-officier chargé du courrier) et le guetteur aux avant-postes! L'officier porte-drapeau du régiment est un embusqué, ou du moins un planqué, car s'il se fait tuer lors des assauts, il ne participe pas pleinement à la vie des tranchées. En somme, on est toujours l'embusqué de quelqu'un. Vis-à-vis de ces individus, le poilu affiche un mélange d'envie, de hargne et de mépris, tempéré d'amère résignation. *«De ces embusqués, quelques-uns ont été tués par un malheureux hasard; de nous, quelques-uns vivent encore, par un hasard heureux.»*

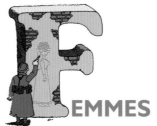

FEMMES

Les femmes… Est-ce que ça existe encore? Pour l'homme des tranchées, la femme est le symbole même d'un autre monde – lointain, perdu – où l'on vit comme un être humain, où l'on ne meurt pas comme un chien, où persistent un confort et des douceurs ineffables. Mais cette femme, le poilu la perçoit sous plusieurs formes torturantes et contradictoires. La «Femme», c'est l'épouse aimée et durement regrettée; c'est la marraine de guerre, ange consolateur; c'est la «poule» dont rêvent les mâles frustrés; c'est l'infidèle qui s'envoie peut-être en l'air avec des embusqués! Mélange d'amour, de reconnaissance, de libido refoulée, d'inquiétude, de jalousie intense et de rancune. Et puis la plus poignante, la plus terrible de toutes les femmes: cette «Maman… maman!» qu'appellent si souvent, d'une voix d'enfant terrifié, les malheureux agonisant sur le champ de bataille…

Une Parisienne froufroutante et parfumée, un rêve pour le poilu sevré d'amour.

FUSILLÉS

Dans toute armée, il y a ceux qui veulent se battre, pour des raisons idéalistes ou primitives; il y a ceux qui acceptent de se battre, par discipline résignée ou par esprit de corps; et puis ceux – très minoritaires – qui saisiraient la moindre occasion de déserter, fournissant aux autres un exemple contagieux.

On peut d'ailleurs passer d'un extrême à l'autre: le héros d'aujourd'hui peut craquer demain; le pleutre initial peut devenir un vétéran endurci. Tout cela est dangereusement instable… De plus, toute armée comporte – comme la population civile dont elle est issue – une frange de criminels potentiels ou avérés. Dès lors, inévitablement: pour maintenir une armée au feu, pour contrôler le comportement des soldats, il faut la carotte (grades, décorations) mais aussi le bâton (des peines militaires). Et la menace du châtiment ultime: le peloton d'exécution.

On fusille donc: pour abandon de poste, pour mutilation volontaire, pour «lâcheté», pour refus d'ordre ou insubordination, éventuellement pour viol ou autre crime crapuleux. On fusille à regret et pour de graves motifs… ou parfois n'importe qui, pour n'importe quoi!

On fusille par verdict de cour martiale (régulière ou spéciale). Mais il y a aussi les exécutions sommaires, la balle immédiate dans la tête, les exécutions «déguisées» par envoi de soldats en mission suicidaire… Pour toute cette Grande Guerre, on recense environ 330 fusillés «officiels» chez les Britanniques, 750 pour les Italiens, de «très nombreux» chez les Russes. Pas plus de 48 chez les Allemands, vu qu'ils pratiquaient surtout l'exécution sommaire et sans fioritures… Et environ 600 pour l'armée française. Ce qui représente moins de pertes qu'une journée de combat.

On fusille en 1914, bien plus qu'en 1917. En fait, l'armée française a fusillé plus de monde pendant les dix premiers mois de la guerre qu'au cours des quarante mois suivants. Même les grandes mutineries de 1917 ne suscitent qu'une répression «modérée»: une cinquantaine d'exécutions seulement, pour 30 à 40 000 mutins concernés… Oui, mais ces cinquante là, ajoutés à tous les autres, laisseront une tache de sang indélébile. On en fera des martyrs, des symboles; on parlera des «condamnés au hasard», des «fusillés pour l'exemple». Bien des années plus tard, ces revenants persisteront à hanter les consciences collectives, la littérature et le cinéma. L'image de la Grande Guerre n'en sortira pas grandie.

Une photo rare: un conseil de guerre à Gérardmer, le 27 février 1916. Ces tribunaux militaires jugeaient de façon expéditive, condamnant parfois à mort pour une peccadille ou «pour l'exemple».

GNÔLE

Un tord-boyaux proche de l'alcool à brûler est distribué assez parcimonieusement aux tranchées. C'est un précieux remontant pour des hommes épuisés et frigorifiés par les veilles, lors des nuits d'hiver qui gèlent parfois la soupe et même le vin! Ces rations d'alcool sont fréquemment doublées avant les attaques, pour donner «du cœur au ventre» aux troupes d'assaut.

Le gros rouge de l'ordinaire monte au front dans des wagons-citernes, qui restent parfois exposés plusieurs jours en plein soleil. Aucun civil ne voudrait de cette vinasse qui fait pourtant le bonheur du poilu, à raison d'un ou deux quarts par homme et par jour (soit un demi-litre). Miséreuse à l'excès, mal équipée, mal nourrie, l'infanterie française n'a probablement «tenu» que par son pinard et son courage, l'un soutenant l'autre. En être privé est la pire des détresses. Reste la possibilité de boire de l'eau: elle manque bien souvent… ou se révèle d'une provenance immonde et malsaine.

JOURNAUX (DE TRANCHÉES)

Sur les fronts stabilisés de la guerre, une presse étrange prolifère : des journaux écrits et publiés par les combattants, officiers subalternes ou simples troupiers. Certains s'adressent à un groupe de camarades, d'autres à toute une division ; la plupart sont rédigés par des soldats de première ligne, dans des conditions difficiles. Mais il y aura aussi des journaux de marins, d'aviateurs, de blessés, de prisonniers. Rien que pour l'armée française, plus de 400 journaux de tranchées – périodiques « soignés » ou pauvres gazettes manuscrites – auraient existé. Quelques titres parmi bien d'autres : *La Bête de Somme, Le Bochofage, Le Boyau du Midi, Bulletin désarmé, Le Cafard enchaîné, Le Crapouillot, L'Écho des cagnas, L'Homme casqué, Lacrymogène, La Marmite, Le Mouchoir de Boche, La Muse poilue, Le Mythe-railleur, Le Pou, Le Troglodyte, La Vie poilusienne…*

Une « marmite » de 305 et une douille d'obus de 75.

MALADIES

Pluie, boue, froid, saleté extrême, nourriture malsaine, déficit de sommeil, travaux exténuants… Prenez n'importe quel groupe d'hommes actuels, soumettez-les à ce régime, vous les enverrez en huit jours à l'hôpital ou au cimetière, sans même avoir recours aux tirs de l'ennemi. Or, pour autant qu'ils fussent épargnés par la mitraille, les poilus de la Grande Guerre se portaient plutôt bien ! Certes, ils souffraient de la fatigue. Et on évacuait des bronchiteux, des pneumoniaques, des membres gelés, des « pieds de tranchées » nécrosés, des cas d'effondrement physique ou nerveux, des syphilitiques (maladie sexuellement transmissible). Mais dans l'ensemble, incroyablement, les poilus tenaient le coup ! De quel métal ces gens étaient-ils faits ? On peut avancer que les conditions de vie (pas de voitures, pas de chauffage central, etc.) étaient bien plus rudes qu'aujourd'hui ; que 75 % des combattants étaient des paysans durs à la peine ; que les vaccins antityphiques et antitétaniques furent largement utilisés… Mais tout de même ! Pas de maladies généralisées, pas d'épidémies ! Sauf aux armées d'Orient, qui furent durement touchées : malaria, dysenterie… Mais sur le front de France, il fallait l'intoxication par le plomb (des mitrailleuses) pour venir à bout des bonshommes ! Le fléau ne survint qu'à la fin de la guerre, avec la « grippe espagnole » qui faucha des millions d'Européens, civils plus que militaires.

MARMITAGES

Ce sont les bombardements d'artillerie qui arrosent les combattants de « marmites » et de « seaux à charbon », c'est-à-dire d'une profusion d'obus fusants ou percutants. Nombreuse et redoutable au début du conflit, l'artillerie lourde des Allemands convient mal quand les lignes des deux camps s'opposent de trop près. Dès lors les Allemands ont mis en service des granatenwerfer et des minenwerfer, pièces à tir courbe qui pilonnent lourdement tranchées et abris. Les Français répliquent en utilisant divers types de mortiers, notamment le célèbre « crapouillot » qui expédie à cent mètres une grosse bombe à ailettes. Les marmitages se succèdent impitoyablement, tout au long de la guerre, de jour et de nuit, tirs sporadiques de harcèlement… ou tempêtes de feu apocalyptiques, comme celle qui inaugura la bataille de Verdun.

Ils dorment après l'assaut, dans la boue, au milieu des débris humains et des excréments. Une vie de chien. À se demander comment il se fait que les poilus ne soient pas tous morts de maladie !

MARRAINES

« Le poilu a au moins trois marraines à qui il va faire visite : une petite fille qui lui envoie du tabac, une jeune femme qui lui expédie des chaussettes et une vieille duègne qui lui écrit des lettres d'amour. » De fait, on trouve de tout parmi les « marraines de guerre »… et certains guerriers débrouillards en collectionnent plusieurs ! Jeunes ou moins jeunes, issues de tous les milieux, charmantes ou simplement maternelles, toutes volontaires, elles envoient à leur « filleul » de nombreuses lettres (éventuellement parfumées), des lainages, des colis de vivres et même de l'argent. En permission, elles gâtent leur poilu à coups de pâtisseries et de sorties. Les soldats solitaires, souvent originaires des départements envahis et donc privés de contacts avec leur famille, trouvent chez elles de véritables foyers d'adoption. L'institution des marraines a contribué à maintenir le moral du poilu et… son imagination érotique.

Vint le jour où le beau cavalier rencontra sa marraine : le choc !

Une tranchée en Artois en 1915. Dans le talus réapparaît le corps d'un malheureux mal enterré lors de la précédente offensive.

ODEURS

Sur un fond de senteurs champêtres (terre après la pluie, végétation mouillée), répandez l'arôme des feux de bois, les fragrances des vieux cuirs et des tissus moisis, le parfum des lubrifiants d'armes, le graillon des popotes, le relent des vinasses, les fumigations de gros tabac. Mêlez-y la sueur des hommes, voire de quelques chevaux ou mulets. Parsemez d'ordures diverses, arrosez généreusement d'urine, versez une abondance d'excréments. Garnissez de cadavres en putréfaction, aux émanations douceâtres et persistantes. Ajoutez, au gré des combats, les puanteurs de la cordite, de la cheddite, de la mélinite et autres poudres. Battez énergiquement au pilon d'artillerie. Prévoyez les odeurs aigres de la peur, du sang et du vomi. Ne lavez jamais personne… ou alors le moins possible, et tenez compte du fumet vigoureux des pieds en campagne. Condensez ce remugle dans des cagnas humides et dépourvues d'aération… et vous aurez une idée de l'atmosphère enivrante, héroïque des champs de bataille, dont se grisent les narines délicates des poilus. Encore heureux si le parfumeur d'en face ne vous expédie quelque nuage toxique, quelque obus d'ypérite, quelque vaporisation de phosgène et autre gaz asphyxiant. Et pourtant il arrive qu'un vent d'ouest vienne balayer tout ça et que le soldat perçoive, tout surpris, le bouquet attendrissant de quelques violettes printanières, renaissant obstinément aux lèvres d'une tranchée.

OFFICIERS

Distinction fondamentale aux yeux du poilu : il y a, d'une part, les officiers subalternes (lieutenants, capitaines) qui très souvent partagent les conditions de vie (et de mort) de leurs hommes. Ceux-là, on les supporte, on leur fait confiance, on les aime parfois. D'autre part, il y a les hauts gradés : colonels qui bénéficient d'abris plus confortables et moins exposés ; généraux qui portent des bottes astiquées, logent dans des châteaux, boivent des vins fins et voient rarement le feu. La distance du front s'accroissant avec le nombre d'étoiles au képi (marque des généraux), trop de grands chefs restent insensibles aux souffrances des soldats, aux pertes effroyables subies lors d'attaques inutiles. C'est sans doute ce mépris du « prolétariat des tranchées » qui a conféré à cette guerre son caractère profondément immoral, aux yeux de tant de survivants. Il y aura de remarquables exceptions. Pétain sera vénéré par les combattants pour avoir témoigné d'un peu de compréhension, de bon sens et de compassion. Ce qui explique la confiance aveugle (et moins justifiée) qui lui sera accordée vingt-deux ans plus tard, en 1940…

PERMISSIONS

À partir de juillet 1915 s'est institué un « tour de permissions » qui accorde, en principe et tous les quatre mois, 6 jours de retour à la vie civile. En pratique, les « permes » seront quelquefois prolongées ou plus fréquentes, plus souvent retardées ou supprimées, de par mille impondérables et selon les diverses crises du front. La permission, c'est le rêve intense et constant du poilu, c'est l'espoir d'un paradis enfin retrouvé. C'est le retour au foyer ou la joyeuse fête. Ce peut être, tout autant, une dure épreuve morale : déception d'avoir découvert un « arrière » indifférent ou frivole ; sentiment d'être désormais incompris de « ces gens-là » ; ou tout au contraire, douleur d'avoir à quitter derechef des êtres aimés, sans certitude de les revoir un jour.

POUX

« Quand il est question pour nous d'un nouveau secteur, si l'on nous dit : "les Boches sont à vingt mètres", cela nous laisse froids ; mais si l'on nous dit : "les abris sont pleins de poux", cela nous dégoûte ! » De fait, les poux sont omniprésents, répugnants… et redoutables, car ils pourraient susciter des épidémies de typhus. D'ailleurs, l'inévitable crasse des tranchées favorise l'apparition d'autres légions d'insectes – puces, mouches et moustiques – et de calamités tenaces autant que gratouillantes : la gale, la teigne et les mycoses. Chasser le « toto » (pou en argot des tranchées) est le passe-temps favori du poilu.

Scène de rasage dans une cagna. L'équation est simple : moins de poils = moins de poux.

NÉVROSES (DE GUERRE)

La violence des combats, le traumatisme des explosions et les horreurs de la guerre peuvent provoquer de très réelles névroses, que les Anglo-Saxons résument sous le terme de « shell-shock » (choc dû aux obus). Mais à l'époque de la Grande Guerre, beaucoup d'officiers ainsi que des médecins ont tendance à mettre ces pathologies psychiatriques sur le compte de la lâcheté et de la simulation. Trop souvent, l'homme qui « craque » se voit menacer de mesures répressives ou soumis à des traitements hospitaliers « dissuasifs. » Ces méthodes sont poussées à l'extrême en Allemagne et en Autriche, où des médecins militaires soumettent les « choqués » à des décharges électriques visant à leur rendre le goût du combat ! De tels excès semblent avoir été évités dans l'armée française, où l'on mit au point des principes de traitement qui inspirent encore la psychiatrie de champ de bataille d'aujourd'hui. Le miracle de la Grande Guerre, c'est que des millions de combattants aient pu la subir, dans toute son atrocité, sans devenir fous !

ATS

Fléau des tranchées, le rat qui grouille partout, mangeur de cadavres et de détritus, qui dévore et souille les victuailles, qui vient ronger les orteils des dormeurs imprudemment déchaussés. Nasses, collets, fils de fer, cartouches piégées, tous les moyens sont mis en œuvre pour l'exterminer. Une gigantesque chasse aux rats est ordonnée en 1916, par ordre des plus hautes autorités. Une prime d'un sou récompense chaque queue de rat présentée à l'intendance. Et tout cela en vain, car vingt rats surgissent pour un que l'on occit. Dans certains secteurs calmes, les soldats arrivent à se procurer un petit chien ratier, dont la présence contient l'audace des rongeurs.

Brave petit chien terrier posant devant son tableau de chasse : le meilleur ami du soldat !

ELÈVE

Monter en ligne, pour remplacer quelque autre unité, c'est lourd d'appréhension. Quitter les tranchées, grâce à une telle « relève », devrait être un soulagement. Dans les deux cas, le plus souvent, c'est une pénible épreuve : *« Nous étouffons, les bretelles des sacs coupent, affaissent les épaules. Les courroies de musette et de bidons, croisées sur nos poitrines, empêchent de respirer… Nous finissons par marcher dans un demi-sommeil, inconsciemment, sans ordre, sans voir et sans penser, comme des bêtes. »* *« Ils allaient sans savoir vers quoi. Ils s'en foutaient d'ailleurs. Là-bas, c'était la tranchée, et toutes les tranchées sont pareilles. C'est la guerre qui continue, voilà tout. Suivie de son ombre terrible : la mort. »*

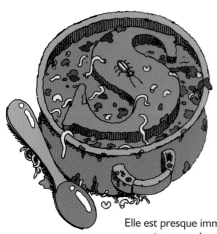

OUPE

Elle est presque immangeable. Les cuisines roulantes ne se généralisent qu'à partir de 1915. Légumes et vitamines y sont inconnus. Les cuistots préparent un brouet graisseux où l'on trouve de la barbaque ou de la morue trop salée, mêlées de pâtes, de riz, de fayots ou de patates douteuses. Chargés comme des mulets, véritables forçats, les « hommes de soupe » progressent vers l'avant, de nuit, pour porter aux combattants des « bouthéons » (grands récipients métalliques) contenant cette infâme ratatouille, mais aussi les boules de pain (souvent vieilles de huit jours), les bidons de « jus » (qui n'a du café que la couleur) et l'indispensable pinard. Quand cette pitance parvient aux tranchées, en dépit du terrain apocalyptique et des tirs de l'artillerie adverse, elle est évidemment froide, souillée, et sera consommée dans des conditions d'hygiène qui dégoûteraient un chien de bonne maison. Il arrive aussi que le ravitaillement n'arrive que partiellement, ou pas du tout. Reste alors à se rabattre sur les « vivres de réserve » que chaque combattant emporte dans son sac et qui se limitent généralement à deux boîtes de « singe » (corned-beef filandreux), une douzaine de biscuits carrés (justiciables de la scie à métaux), quelques sachets de sucre, des tablettes de café et des paquets de potage condensé. Dans les secteurs très « agités », cela doit parfois suffire pour plusieurs jours consécutifs. Heureux le soldat qui, dans ces conditions, a pu conserver quelques suppléments personnels, achetés à l'arrière ou reçus dans un colis-cadeau. Lesquels suppléments, si maigres soient-ils, seront toujours fraternellement partagés au sein de l'escouade. Tant il est vrai que la misère des tranchées a créé une étonnante solidarité. •

67

LA GUERRE DU CAPORAL ADOLF

*Comment la
Première Guerre
mondiale a changé
la vie d'un clochard
autrichien. Comment
elle lui a permis
de changer le cours
de l'Histoire.
Pour le pire.*

Cette image s'inspire
d'une affiche nazie des années 30.
Hitler y incarne le soldat allemand
de la Première Guerre mondiale,
dur, courageux et... trahi.
Hitler bâtira sa carrière politique
en promettant la revanche et le
châtiment des traîtres de 1918.

Ce cliché a été pris par Heinrich Hoffmann, le 2 août 1914, à Munich. Une foule enthousiaste s'est rassemblée sur l'Odeonsplatz à la nouvelle de la guerre. Parmi les exaltés, Adolf Hitler, anonyme, révélé par un agrandissement de la photo. Le lendemain, celui qui avait refusé de servir son pays, l'Autriche, se précipite au bureau d'engagement d'un régiment bavarois intégré à l'armée allemande. Cette photo, massivement diffusée sous le IIIe Reich, a contribué à fabriquer le mythe du Führer (le Guide).

« **A**insi commença pour moi, comme pour tout Allemand, le temps le plus inoubliable et le plus sublime de toute mon existence terrestre. » De quel heureux commencement se souvient donc Adolf H, l'auteur de cette phrase ? De l'entrée en guerre de l'Allemagne en 1914. Il éprouva alors une joie délirante, qu'il partagea avec une foule immense sur l'Odeonsplatz de Munich, le 2 août 1914. « Vive l'Allemagne ! Vive le Kaiser ! À Paris ! » Un chant patriotique – le futur hymne allemand – retentit sans fin : « Deutschland, Deutschland über alles ». L'Allemagne au-dessus de tout !

Nous pouvons même nous faire une idée de l'expression qu'arborait à ce moment précis le visage anonyme d'Adolf H : un photographe, Heinrich Hoffmann, l'a saisie par hasard dans son objectif (voir photo ci-dessus).

Empressons-nous de dire qu'en 1914 la plupart des Allemands sont partis pour le front plutôt résignés qu'enthousiastes, comme les Français. Reste ce que pense Adolf H : la guerre est une bonne nouvelle. À la fois pour l'Allemagne et pour lui-même.

Adolf H croit que la guerre est une chance pour l'Allemagne. Il faut dire qu'il est un nationaliste enragé, convaincu de la supériorité de la culture germanique. Il est outré que les pays voisins ne laissent pas au Reich (« l'empire ») « sa place au soleil ». Il est aussi apeuré, comme nombre d'Allemands, par la soi-disant « menace russe ». Allons, la guerre permettra de régler ces problèmes.

Mais la guerre est aussi une excellente chose pour Adolf H en tant qu'individu. Adolf H est un raté. En 1914, il a 25 ans et n'a encore rien fait de sa vie. Par pure paresse. Il a quitté l'école de sa petite ville autrichienne de Linz à 16 ans, sans jamais avoir brillé. Puis il a vécu aux crochets de sa mère, passant son temps à l'opéra et -dans les musées. Il rêve de devenir artiste, peintre ou architecte. Mais son talent est limité, sa capacité de travail si faible, qu'il est deux fois recalé à l'examen d'entrée à l'Académie des beaux-arts de Vienne. Terrible humiliation…

UN TYPE BIZARRE, SOLITAIRE, TACITURNE

Commence alors la dégringolade d'Adolf H. On perd sa trace à l'automne 1909. Il couche dans les rues, puis échoue dans un asile de nuit pour S.D.F. Il y passe quatre longues années en compagnie de clochards et de poivrots. Il vivote en peignant des aquarelles format carte postale, où il représente des monuments de Vienne. Un associé les vend dans la rue pour quatre sous.

En avril 1913, il touche le petit héritage de son père, et s'en va le croquer à Munich, en Bavière, la région la plus au sud de l'Allemagne. À peine installé, il est arrêté par la police. Motif : ne s'est pas fait recenser, dans le but d'échapper au service militaire autrichien. Mais les choses s'arrangent, les médecins le déclarant physiquement inapte. En réalité, Adolf H ne voulait pas servir l'empire d'Autriche-Hongrie, sa patrie pourtant et celle de son père, qui était fonctionnaire des douanes. Il déteste ce pays parce que les Allemands y sont en minorité, parce qu'ils doivent cohabiter avec d'autres peuples, slaves en particulier. Adolf H n'a qu'un amour : l'Allemagne, la vraie, celle du Kaiser Guillaume II. Et il a en horreur tout mélange de races, de civilisations, de cultures. À Vienne, il apprend notamment à détester les Juifs.

Adolf H parvient, malgré sa nationalité autrichienne, à se faire enrôler dans un régiment de l'armée bavaroise, le 16e, intégré dans l'armée allemande. Il reçoit son baptême du feu du côté d'Ypres, dans les Flandres, le 20 octobre 1914. Cinq jours après, il est promu caporal. Sa carrière s'arrêtera là. Pas par incompétence, mais par convenance : Adolf H sait qu'une nouvelle promotion l'obligerait à quitter son régiment. Or, il ne le veut pas parce que c'est sa seule famille, sa seule raison de vivre, son seul avenir.

Ses camarades l'appellent Adi. Un type bizarre, le caporal Adi. Solitaire, taciturne, toujours en compagnie de son chien Foxl, un terrier blanc. Sans doute est-ce pour rester à l'écart qu'il a choisi la fonction – dangereuse – d'estafette : c'est lui qui porte les ordres de l'état-major du régiment jusqu'aux tranchées. Courageux, Adi. Il reçoit une prestigieuse décoration, la croix de fer de deuxième classe, en décembre 1914, pour avoir sauvé la vie d'un officier. Il est blessé à la cuisse en octobre 1916, sur la Somme. Il participe aux grandes offensives de 1918 et, en août, reçoit la croix de fer de première classe. Une jolie guerre, en somme.

LE MONDE DU CAPORAL S'EFFONDRE

Mais le caporal Adolf H n'est pas un soldat comme les autres. Dix millions d'Allemands sont passés par le front. Deux millions y sont morts. La majorité a pris la guerre en horreur. Adolf H, lui, aime la guerre. Il met au-dessus de tout la « camaraderie du front » qui efface, croit-il, les différences d'opinions politiques entre Allemands.

Adolf H croit dur comme fer à la victoire de l'Allemagne. Il n'a que mépris pour ceux qui se disent fatigués du conflit. Il voue une haine brûlante aux pacifistes, notamment aux socialistes. Comme l'immense majorité des Allemands, il ne voit absolument pas venir la défaite. Ni les chefs militaires, ni les journaux ne disent la vérité sur la situation. Tous clament encore, en octobre 1918, que la victoire est à portée de main. Le coup qui suit sera d'autant plus rude. Cette défaite, Adolf H l'apprend à l'hôpital de Pasewalk, dans le nord de l'Allemagne. Il a dû y être évacué après avoir été gazé, près d'Ypres, en octobre 1918. Le gaz moutarde l'a rendu temporairement aveugle. C'est un aumônier qui vient lui expliquer, le 10 novembre, que

Hitler photographié en France en avril 1915 avec deux de ses collègues estafettes au 16e régiment d'infanterie. Devant lui, son chien Foxl. Hitler, qui n'a pas dépassé le grade de caporal, a fait une guerre courageuse, indisposant parfois ses camarades par son fanatisme guerrier et sa certitude de la victoire.

tout est fichu : la guerre, le Kaiser, les rêves de grandeur nationale. Le pouvoir appartient maintenant aux socialistes. Le lendemain, 11 novembre, l'armistice sera signé à Rethondes. Le sort de l'Allemagne se trouvera dès lors entre les mains de ses ennemis.

Écoutons Adolf H évoquer sa réaction aux révélations de l'aumônier. « Brusquement, la nuit envahit mes yeux, et en tâtonnant et en trébuchant, je revins au dortoir où je me jetai sur mon lit et enfouis ma tête brûlante sous la couverture et l'oreiller. Depuis le jour où je m'étais trouvé sur la tombe de ma mère, je n'avais plus jamais pleuré. » Le monde d'Adolf H s'effondrait.

Qu'allait-il devenir ? Reprendre sa vie minable ? Non, dans l'immédiat, il se débrouille pour rester dans l'armée jusqu'en mars 1920. Il faut bien manger : il n'a plus que 15 marks sur son compte en banque.

UN ORATEUR-NÉ

Il revient à Munich où il est aux premières loges pour assister à une guerre civile. Le 7 novembre 1918, un journaliste socialiste, Kurt Eisner, a pris le pouvoir dans la ville, proclamant une république des « conseils ». À Munich, comme partout en Allemagne, ouvriers et soldats sont à bout, las de la guerre, de la sous-alimentation, prêts à tout pour chasser les responsables de ces quatre épouvantables années.

Cette république de Munich sombre vite dans le désordre. Kurt Eisner est assassiné en février 1919. Des bolcheviks, menés par un certain Eugène Leviné, tentent alors de rééditer l'exploit de Lénine à Petrograd en 1917 : ils prennent le pouvoir par un coup d'État. Mais ils en sont aussitôt chassés à coups de canon et de lance-flammes par les troupes de l'armée régulière. On ramasse des centaines de morts, il y a des milliers d'arrestations. Des scènes de ce genre se

produisent aussi à Berlin. L'Allemagne sombre dans le chaos.

À la suite de ces événements, Adolf H a un coup de chance. Pour la première fois, quelqu'un semble s'intéresser à lui. Le capitaine Karl Mayr décide en effet de l'enrôler comme propagandiste au service de l'armée. Sa mission : lutter contre les « idées marxistes » (voir encadré ci-dessous à g.,) dans l'armée et dans la population. Mayr fait alors donner à Adolf H des cours d'éducation politique, puis lui fait prononcer des conférences. C'est à cette occasion qu'Adolf H découvre le seul vrai talent qu'il possède : le don de la parole. Dès qu'il parle, l'auditoire se suspend aux lèvres de ce petit homme brun, d'aspect quelconque, mais aux yeux d'un bleu pénétrant. Adolf H est un orateur-né, un manipulateur de foules, qui ne cessera plus d'améliorer sa technique de charmeur de masses, y compris en faisant appel aux conseils de comédiens professionnels. Ses mots sont simples, parfois vulgaires, toujours martelés. Sa voix gutturale, véhémente, emporte la conviction… de ceux qui attendaient d'être convaincus.

En tant qu'informateur payé par l'armée, Adolf H surveille les réunions des petits partis d'extrême droite qui pullulent à Munich. En septembre 1919, il adhère à l'un d'entre eux, le « parti ouvrier allemand », fondé par un cheminot, Anton Drexler. En le voyant, Drexler se serait écrié : « Bon sang, il a une gueule. Nous pourrions l'utiliser. »

Adolf H prend la parole presque tous les soirs dans les brasseries enfumées de Munich. Un comble pour un homme qui ne boit pas et ne fume pas. Que dit-il ? Toujours la même chose. Il ressasse des idées qui ne sont pas de lui, qui courent l'Allemagne comme un feu de brousse.

Parmi ces idées, il y en a une, totalement fausse, qui a été crue par des millions d'Allemands. Crue parce qu'elle atténue la blessure de la défaite de 1918, l'humiliation causée par le traité de Versailles, ce « diktat » honteux imposé par les Alliés à une nation innocente.

« COUP DE POIGNARD DANS LE DOS »

Cette idée fausse, ce mythe, c'est celui du « coup de poignard dans le dos ». La formule a été utilisée la première fois par Paul Hindenburg, l'un des principaux chefs militaires, le 18 novembre 1919 : l'Allemagne n'a pas été militairement vaincue, elle a été poignardée par-derrière.

Adolf H « sait », comme toute l'extrême droite allemande, QUI tenait le poignard : une conspiration internationale de Juifs marxistes. Tel est le credo d'Adolf H. Celui qu'il martèle de sa voix rauque. Les Juifs ! Tout est de leur faute ! Rappelez-vous à Munich en 1919, les chefs de la république des « conseils », Kurt Eisner, Eugène Leviné, ils étaient juifs et marxistes. Les Juifs veulent la destruction de l'Allemagne !

C'est ainsi qu'Adolf H vint à la politique. La Première Guerre mondiale l'a sorti de la déchéance sociale. Elle lui a offert un avenir. Elle lui a permis de développer ses idées simplettes, délirantes, dans un pays battu, humilié, déchiré par la guerre civile. Sans la Première Guerre mondiale, personne n'aurait jamais entendu parler d'Adolf H. Sans ce conflit calamiteux, qui aurait écouté les torrents de haine déversés soir après soir par un ex-caporal à l'accent autrichien ?

Oui, la guerre a lancé la légende d'Adolf H, légende qu'il a... soigneusement construite. Dans l'ouvrage qu'il dictera en 1924-1925, Mein Kampf (« Mon combat »), il laissera croire que la providence l'a chargé, lui, l'humble caporal, de réparer le crime commis contre l'Allemagne en 1918. Il se serait senti appelé, soulevé par une force inconnue, pour remplir une mission : sauver l'Allemagne du péril

judéo-marxiste. Il faudra encore pas mal de temps et d'événements pour que les Allemands avalent cette légende.

Au début de 1920, Adolf H change le nom du parti ouvrier allemand en parti national-socialiste des ouvriers allemands, ou parti nazi en abrégé. Son programme ? Démolir le traité de Versailles, faire de l'Allemagne la puissance dominante en Europe, éliminer toute « influence juive ». Trois ans plus tard, Adolf H sera connu de toute l'Allemagne : il sera désormais Adolf Hitler. Dix ans plus tard, il est le maître du pays. Vingt-deux ans plus tard, il se suicidera dans les ruines de Berlin, après avoir déclenché une Seconde Guerre mondiale, provoqué directement ou indirectement la mort de 40 millions de personnes, perpétré un épouvantable génocide contre les Juifs. Rien de tout cela ne serait arrivé sans la Première Guerre mondiale.

Hitler a utilisé à fond une idée fausse crue par beaucoup d'Allemands : l'armée n'a pas été vaincue en 1918, elle a été poignardée dans le dos (affiche ci-dessus) par les Juifs et les marxistes. En haut, les soldats vaincus reviennent à Berlin acclamés et couverts de fleurs comme s'ils avaient été vainqueurs.

CONCEPTION ET REALISATION
TANA EDITIONS
DIRECTION EDITORIALE
JEAN LOPEZ
COORDINATION EDITORIALE
MARC VAN MOERE
CONCEPTION GRAPHIQUE
YANNICK LE BOURG
MAQUETTE
JEAN ETIENNE

ONT COLLABORE A CETTE EDITION SPECIALE
MARIE-LAURE DE FONTENAY, JEAN LOPEZ,
ARNAUD NOBLET, OLIVIER VOIZEUX,
CHARLINE ZEITOUN,

ILLUSTRATIONS
DIDIER FLORENTZ (PP. 42 À 53), MARC MOSNIER
(P. 2), VINCENT SARDON (PP. 60 À 67), JEAN
SOUTIF (PP. 36, À 41),

INFOGRAPHIES
DOMINIQUE GALLAND (PP. 3, 4, 9, 11, 14, 18, 20,
22)

CREDITS PHOTOGRAPHIQUES
AFP : P. 32 (HAUT).
AKG : P. 59, 73 (BAS).
BIBLIOTHEK FÜR ZEITGESCHICHTE : P. 68-69.
BIBLIOTHÈQUE NATIONALE DE FRANCE :
PP. 8 (HAUT), 11.
ECPAD : PP. 14, 16 (BAS), 64, 65 BAS.
HISTORIAL DE LA GRANDE GUERRE : P. 31 (BAS).
IMPERIAL WAR MUSEUM : PP. 10 (HAUT), 12,
13 (x2), 15, 16 (HAUT), 17, 18, 19 (BAS), 21, 26 (x2),
34, 56 (DROITE), 58, 63, 66 (HAUT), 67, 70, 71, 73
(HAUT).
KEYSTONE : P. 33 (BAS).
KHARBINE TAPABOR : P. 30 (X2).
MUSÉE DE L'ARMÉE : P. 32 (BAS).
MUSÉE NATIONAL DE L'EDUCATION : PP. 28-29.
SHAA : PP. 35.
SHAT : PP. 8 (BAS), 20, 23, 22-23, 31 (HAUT).
ROGER-VIOLLET : PP. 9, 10 (BAS), 33 (HAUT),
52-53, 62, 65 (HAUT).
RUE DES ARCHIVES : PP. 19 (HAUT), 27, 37 (x2),
56 (GAUCHE), 66 (BAS)

GUERRE MONDIALE 2

1939-1945

Tana
éditions

RECETTE D'UNE CATASTROPHE

Prenez un dictateur mégalomane, une supercrise économique, des militaires aveugles, des démocraties mollassonnes… Et vous avez tout pour faire exploser le monde.

Quasi-unanimité chez les historiens : Adolf Hitler a voulu, préparé et déclenché la guerre en Europe. Sa responsabilité est totale : il a appuyé personnellement sur le bouton déclencheur. Cet artiste raté a trouvé sa voie dans la boue des tranchées en 14-18, il aime la guerre pour elle-même. Il l'a écrit dans son livre *Mein Kampf* en 1924 : un peuple qui refuse la guerre ne mérite pas de survivre, pas de pitié pour les faibles. « *L'Allemagne sera une puissance mondiale, ou bien elle n e sera pas* », assène-t-il. Que veut-il ? Acquérir un « *espace vital* » aux dépens des Polonais et des Russes, « *races inférieures.* » « *Dès le 3 février 1933 (quatre jours après son arrivée au pouvoir !), Hitler réunit l'état-major de l'armée. Il lui annonce que la marche vers l'est est une nécessité* vitale pour l'Allemagne, et que les territoires conquis devront être germanisés, *SANS TENIR COMPTE DE RIEN* », relève Alfred Grosser, spécialiste de l'Allemagne. Ajoutons – si besoin est – sa proclamation du 5 novembre 1937 consignée dans le « protocole Hossbach », du nom de son aide de camp : « *Il n'y a que la violence qui puisse apporter une solution au problème allemand.* »

PRENEZ UN DICTATEUR MÉGALOMANE...

Hitler n'est pas seul à vouloir la guerre. Il a l'appui total des dirigeants du Reich. Et pas seulement des nazis bon teint.

Les militaires, d'abord, suivent le Führer. Non sans hésitations cependant. Ils sont d'accord pour réarmer ; d'accord pour livrer des guerres limitées, contre la Tchécoslovaquie ou la Pologne. Mais contre la Grande-Bretagne et la France, n'est-ce pas trop ? En 1939, certains généraux jugent que l'armée – la Wehrmacht – n'est pas prête pour un conflit de longue durée. Et les amiraux n'ont pas encore de flotte digne de ce nom. Malgré ces réserves, les militaires seront l'instrument docile du Führer.

Pour les industriels, les banquiers, la préparation à la guerre est pain béni. En 1933, le pays est au fond du gouffre : 6 millions de chômeurs, les entreprises au bord de la faillite. Dès son arrivée au pouvoir, Hitler lance un plan de réarmement, des grands travaux (autoroutes notamment) qui remettent en marche la machine économique. Le métallurgiste Krupp, le chimiste I. G. Farben applaudissent. L'idée de s'emparer des richesses des Balkans et de la Russie les séduit. Pourtant, il ne faut pas se tromper : les « marchands de canons » n'ont pas déclenché la guerre. Les historiens ont même relevé des cas où ils ont recherché la coopération avec leurs collègues français et britanniques.

Et puis, dans les années 30, l'Allemagne n'accepte pas l'Europe telle qu'elle a été modelée par le traité de Versailles qui, en juin 1919, a mis fin à la Première Guerre mondiale. Les Alliés ont eu la main lourde avec le vaincu : interdiction d'avoir plus de 100 000 hommes sous les drapeaux, pas de flotte, pas de chars ni d'avions, pas un soldat sur la rive gauche du Rhin, abandon de territoires à la

La pelle sur l'épaule en attendant le fusil ! Le régime nazi construit des autoroutes pour employer les chômeurs et faciliter les déplacements de troupes.

Pologne. Haine, frustration, humiliation, désir de revanche : la plupart des Allemands refusent cette paix imposée. Hitler ne cessera de leur promettre la « révision du traité infamant ».

Est-ce à dire que tous les Allemands veulent en découdre ? *« Non, le 1er septembre 1939, la population apprend le déclenchement des hostilités avec une stupeur mêlée de résignation. On est loin de l'enthousiasme de 1914 quand les soldats sont partis la fleur au fusil »*, répond l'historien Philippe Masson.

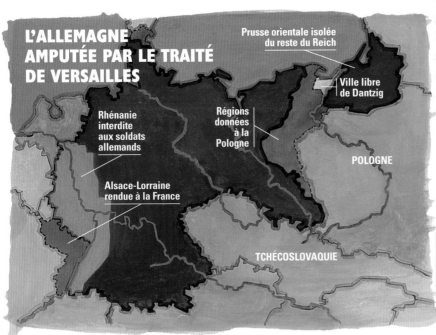

L'ALLEMAGNE AMPUTÉE PAR LE TRAITÉ DE VERSAILLES

Prusse orientale isolée du reste du Reich

Ville libre de Dantzig

Rhénanie interdite aux soldats allemands

Régions données à la Pologne

Alsace-Lorraine rendue à la France

POLOGNE

TCHÉCOSLOVAQUIE

...ET UN PAYS HUMILIÉ...

La grande crise économique des années 30 a tué les velléités de coopération internationale.

...VERSEZ SUR UN MONDE EN ÉBULLITION ET DIVISÉ EN CAMPS RIVAUX...

En 1929, une crise économique terrible s'est abattue sur le monde. Les chômeurs se comptent par dizaines de millions, la misère se répand dans les pays les plus industrialisés. La compétition économique est féroce, les monnaies s'effondrent, le commerce international est entravé.

Dans ce climat détestable, la pauvre Société des nations – l'ancêtre de l'ONU – n'a plus aucune autorité. Nombre de gouvernements trouvent légitime de régler les problèmes internationaux par la force, surtout l'Allemagne nazie, l'Italie fasciste et le Japon. Les démocraties se replient égoïstement sur elles-mêmes. La Grande-Bretagne et la France se tournent vers leur empire. Les États-Unis s'isolent du monde extérieur : ils ne lèveront pas le petit doigt contre Hitler avant 1940.

Trois systèmes politiques s'affrontent à l'échelle du monde mais aussi à l'intérieur de la plupart des pays. La démocratie (Grande-Bretagne, États-Unis, France…) ; le fascisme (Allemagne nazie, Italie de Mussolini, Japon des militaires) ; et le communisme soviétique. Démocraties et fascismes redoutent l'Union soviétique de Staline. En Grande-Bretagne et en France, par exemple, beaucoup craignent qu'une nouvelle guerre ne fasse le jeu du communisme et trouvent certains attraits à l'Italie et à l'Allemagne – qui ont écrasé leurs communistes… L'Union soviétique, elle, se méfie de tout le monde. De l'Allemagne, du Japon et de l'Italie, qui ont signé en 1936 et 1937 un pacte (dit Anti-Komintern) dirigé contre elle. Des démocraties, où certains milieux évoquent ouvertement l'idée de détourner l'appétit du Führer vers l'est…

Les pays fascistes ont le vent en poupe. Le Japon (qui n'est pas à proprement parler « fasciste » mais ultranationaliste et militariste) agresse la Chine en 1937, s'emparant de Pékin. Certains historiens situent d'ailleurs à cette date le déclenchement de la Seconde Guerre mondiale. L'Italie de Mussolini, elle, attaque l'Éthiopie en 1935 et annexe l'Albanie en 1939. En Espagne, de 1936 à 1939, Hitler et Mussolini aident le général Franco à gagner la guerre civile contre les républicains appuyés par l'Union soviétique. En 1938, la Hongrie et la Pologne s'emparent sans façons d'une partie de la Tchécoslovaquie. Guerres, agressions, annexions : le monde est, dès avant 1939, un baril de poudre.

La France et la Grande-Bretagne ont, jusqu'en 1938, cédé à tous les chantages d'Hitler. « *Ces deux pays ne sont pas coupables du conflit,* précise Pierre Milza, professeur à Sciences po, *mais certainement responsables par leur faiblesse.* » « *Si la France et l'Angleterre s'y étaient prises autrement, l'histoire n'aurait pas eu l'issue que l'on sait* », ajoute Philippe Burin, professeur à l'Institut des hautes études internationales de Genève. Pourquoi cette passivité ? « *Jusqu'en 1936 au moins,* commente Anthony Rowley, professeur à Sciences po, *Hitler n'est pas pris au sérieux. Il n'est guère plus inquiétant qu'un dictateur comme Salazar au Portugal. Il ne peut pas réussir, il va entraîner son pays dans la catastrophe, pense-t-on. Raison de plus pour ne rien brusquer. Et puis l'armée française passe à cette date pour la meilleure du monde.* » Le Premier ministre britannique Neville Chamberlain croit qu'on peut « apaiser » Hitler, faire la part du feu en quelque sorte. Après tout, si Hitler veut réunir tous les germanophones

Le Britannique Chamberlain a longtemps pensé qu'Hitler était un gentleman.

Daladier, président du Conseil, signe les accords de Munich au nom de la France. L'allié tchécoslovaque est abandonné à Hitler.

CORSEZ AVEC DES DÉMOCRATIES FAIBLES ET JOUEZ AU POKER MENTEUR…

d'Europe dans le Reich, c'est son droit. Tant pis pour le traité de Versailles, tant pis pour les peuples d'Europe centrale et orientale. La paix mérite quelques sacrifices, surtout avec l'ogre soviétique qui guette aux portes de l'Europe…

Les Français, eux, ont une peur « biologique » de la guerre : les 1,5 million de morts de 14-18 sont dans tous les esprits. Plus jamais ça ! Les militaires ont fait des choix qui paralysent le gouvernement : avec une armée statique campée sur la ligne Maginot, comment aider la Tchécoslovaquie ou la Pologne ? Rongée par l'idée de sa propre décadence, la France se met à la remorque de sa « *gouvernante anglaise* », selon le mot de l'historien F. Bédarida. Nous ne pouvons rien faire sans Londres, se lamente sans cesse Daladier, le Premier ministre.

De 1933 à 1939, Hitler a livré une partie diplomatique époustouflante. Sans tirer un coup de canon, par le bluff, le mensonge, le chantage à la guerre, il a liquidé le traité de Versailles et fait de l'Allemagne la grande puissance de l'Europe continentale. Voyons les événements.

En 1935, Hitler rétablit le service militaire obligatoire, interdit par le traité de Versailles. Français et Anglais ne réagissent pas. En mars 1936, il fait entrer quelques bataillons dans la zone démilitarisée, sur la rive gauche du Rhin : autre infraction au traité. « *Mon plus grand risque* », reconnaîtra-t-il plus tard. En cas de réaction française, les Allemands ont d'ailleurs ordre de se retirer. Mais les militaires français ne veulent s'engager qu'avec 1 million d'hommes là où 10 000 auraient suffi. Finalement, on laisse faire. La plus belle occasion d'arrêter Hitler, d'empêcher la guerre peut-être, a été manquée.

En mars 1938, le dictateur frappe en Autriche. La Wehrmacht y entre sans coup férir puis proclame le rattachement (Anschluss en allemand) du pays au Reich. Français et Anglais ne bronchent pas.

À l'été 1938, Hitler se tourne vers sa prochaine victime, la Tchécoslovaquie. Pour la détruire, Hitler utilise un cheval de Troie : la minorité de langue alle-

À MUNICH, LA TCHÉCOSLOVAQUIE DÉPECÉE PAR SES VOISINS

Territoire des Sudètes rattaché au Reich

Fortifications tchèques

Bohême-Moravie envahie en mars 39 par l'Allemagne

Teschen à la Pologne

Slovaquie « indépendante », en réalité satellite de l'Allemagne

Sud de la Slovaquie avalé par la Hongrie

POLOGNE

HONGRIE

REICH

RÉSULTAT : UNE GUERRE EUROPÉENNE !

mande des Sudètes, dont 3 millions vivent sur le pourtour du pays tchèque. Le 26 septembre, il exige le rattachement de la région des Sudètes au Reich. Sinon, c'est la guerre, menace-t-il. Après divers rebondissements, l'Anglais Chamberlain et le Français Daladier capitulent lors de la conférence de Munich (29-30 septembre 1938). En douze heures, sans consulter les Tchèques, les deux démocraties occidentales livrent le tiers du territoire d'une démocratie alliée ! La France a renié sa parole en échange d'une vague promesse de paix. « *C'était ma dernière exigence* », assure le Führer, patelin.

En mars 1939, aveuglé par ses succès, Hitler commet son premier faux pas. Au mépris de ses engagements de Munich, il envahit le reste de la Tchécoslovaquie. Pour les Anglais, c'en est trop ! On s'est moqué d'eux : maintenant il faut résister. Aussi, le 31 mars 1939, ils garantissent les frontières du pays qui semble devoir être la prochaine victime d'Hitler : la Pologne. Les Français suivent.
Comment la France et la Grande-Bretagne peuvent-elles aider la Pologne qui est si loin de chez eux ? En demandant à l'Union soviétique de le faire. Côté allemand, même calcul : si les Russes sont avec nous, la Pologne est à notre merci.
L'été 1939 voit donc se dérouler une course-poursuite pour les beaux yeux de Staline. À ce jeu-là, Hitler a plus à offrir que les Alliés, fort hésitants. Et Staline a vu, à Munich, à quelles reculades étaient prêts les Franco-Britanniques. Aussi est-ce avec les nazis qu'il signe, le 23 août 1939, le pacte de non-agression germano-soviétique.

Avec une clause secrète : le partage de la Pologne.
L'engrenage est en route. Hitler exige de récupérer la « ville libre » de Dantzig et remet en question le « couloir » qui sépare la ville du Reich. Rassurés par la garantie franco-anglaise, les Polonais refusent net. De même qu'ils ont refusé de permettre aux Soviétiques d'entrer sur leur territoire pour les aider en cas d'attaque allemande. Fiers ces Polonais, et aveugles au point de croire le danger soviétique plus pressant que l'allemand. Les Britanniques tentent encore une négociation. Mais Hitler reste inflexible : si, avant le 30 août, satisfaction ne lui est pas donnée, ce sera la guerre.
A-t-il cru que les Britanniques reculeraient, comme à Munich ? Il ne semble pas. « *Au lendemain du pacte germano-soviétique,* explique Alfred Grosser, *il n'exprimait qu'une crainte : qu'un salaud quelconque – dixit Hitler lui-même, n'intervienne pour imposer une médiation.* » Le 1er septembre 1939, la Wehrmacht attaque la Pologne. Hitler a sa guerre. Mais pas contre la seule Pologne : le 3 septembre 1939, Britanniques et Français lui déclarent la guerre.

Au centre, Ribbentrop, envoyé d'Hitler, et Staline. En libérant l'Allemagne de la crainte d'une attaque soviétique, Staline se fait coresponsable de la guerre.

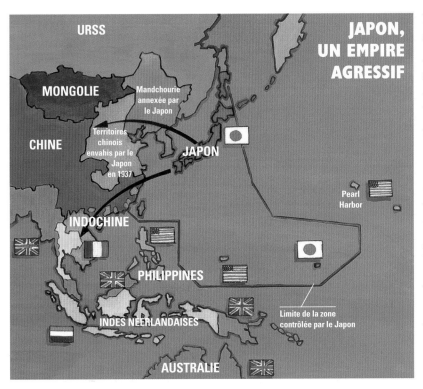

JAPON, UN EMPIRE AGRESSIF

URSS

MONGOLIE

Mandchourie annexée par le Japon

CHINE

Territoires chinois envahis par le Japon en 1937

JAPON

INDOCHINE

Pearl Harbor

PHILIPPINES

INDES NÉERLANDAISES

Limite de la zone contrôlée par le Japon

AUSTRALIE

En Extrême-Orient, les historiens sont d'accord : le Japon est l'agresseur. Agresseur de la Chine d'abord. En 1937, ses troupes occupent Pékin et les grandes villes de la côte. Mais les Chinois se replient vers l'intérieur et refusent de s'avouer vaincus, d'autant que les États-Unis commencent à les aider. Les chefs de l'armée japonaise en Chine, dont le général Hideki Tojo, s'irritent de cette attitude de Washington. Pour eux, la Chine est l'avenir du Japon, son espace colonial à elle, pas question de la lâcher. Trois points vont guider les stratèges nippons. Primo : pour se développer – et faire la guerre en Chine – le Japon a besoin de produits stratégiques qu'il ne trouve pas chez lui : métaux, pétrole, caoutchouc. Deuzio : ces richesses existent en Asie du Sud-Est mais sont sous le contrôle de puissances « blanches ». Les Français sont en effet maîtres de l'Indochine, les Pays-Bas des Indes néerlandaises (actuelle Indonésie), les Britanniques de Bornéo, de la Birmanie, de la Malaisie. Tertio, en 1940, l'Allemagne nazie écrabouille les Pays-Bas et la France, l'Angleterre semble à genoux. Pour le Japon, l'occasion est belle de s'emparer de l'Asie du Sud-Est.

Mais les chefs nippons hésitent : la Grande-Bretagne et les États-Unis (présents aux Philippines et dans le Pacifique) ne sont-ils pas un trop gros morceau ? On continue donc à négocier.

En attendant, pousser un pion en Indochine semble une bonne affaire. Les Français ne sont pas en état de résister : en 1940 et 1941, sous la menace, ils permettent aux troupes japonaises de s'installer. La réaction des États-Unis est violente : les avoirs japonais aux États-Unis sont gelés, interdiction de vendre du pétrole et des métaux à ce pays. Le ton monte.

En juin 1941, Hitler attaque l'Union soviétique. Que doit faire le Japon ? Attaquer la Sibérie soviétique pour aider l'allié allemand ? Tout dépend de l'attitude des États-Unis. Le prince Konoye, chef du gouvernement, négocie toujours avec eux. Rien à faire, répond Roosevelt : évacuez d'abord la Chine et l'Indochine, vous aurez du pétrole après. Or, le Japon n'a que deux ans de réserve de ce produit…

Abandonner ses conquêtes, capituler ? L'esprit samouraï s'y refuse : le Japon n'a jamais été vaincu dans une guerre. En octobre 1941, les dés sont jetés. Konoye démissionne, remplacé par le général Tojo, un dur de dur. Le Japon n'attaquera pas l'Union soviétique mais l'Asie du Sud-Est. L'amiral Yamamoto prévient : nous ne pouvons mener qu'une guerre courte ! Il faut aller vite, frapper par surprise la flotte américaine à Pearl Harbor et s'emparer dans la foulée de l'Asie du Sud-Est. Ainsi nous pourrons développer nos industries de guerre et attendre de pied ferme le réveil du géant américain. L'empereur Hirohito donne son accord. L'attaque est fixée au 7 décembre 1941. La course contre la montre commence.

AJOUTEZ L'ASIE : ET VOILÀ UNE GUERRE MONDIALE.

2 194 JOURS
DE GUERRE

*Six ans de combats,
50 millions de morts,
l'être humain abaissé
comme jamais,
l'Europe détruite,
le Japon atomisé :
le désastre absolu.
Les cartes des opérations
militaires et la stratégie.*

Des soldats allemands
pénètrent dans la ville
d'Orléans, en juin 1940.

9

FINLANDE ②

NORVÈGE

Oslo

ESTON

LETT

EE

LITUAN

DANEMARK ③

GRANDE-BRETAGNE ⑤

PAYS-BAS

BELGIQUE ④

Londres

Berlin

POLOGNE ①

Varsovie

Prague

GRAND REICH

Paris

Vienne

Zone de démarcation imposée par l'armistice du 22 juin 1940.

Vichy

Attaque italienne dans les Alpes

LA GUERRE ÉCLAIR EN EUROPE

Au prix de pertes minimes, l'Allemagne conquiert la Pologne et abat la France. Avec une doctrine militaire révolutionnaire: la *Blitzkrieg* ou guerre éclair.

1 1er septembre 1939: la Wehrmacht – l'armée d'Hitler – attaque la Pologne. En trois semaines, l'armée polonaise est taillée en pièces. Ses alliés français et britanniques ne bougent pas, malgré leur déclaration de guerre du 3 septembre. Le 17 septembre, l'Union soviétique donne le coup de grâce en s'emparant de la moitié est du pays, conformément à une clause secrète du Pacte germano-soviétique d'août 1939.

2 Le 20 novembre 1939, Staline se jette sur la Finlande. Objectif: repousser la frontière finnoise, trop proche de l'importante ville de Leningrad. Malgré une résistance héroïque, la Finlande doit signer la paix le 12 mars 1940 et abandonner des territoires. Deux cent mille soldats russes sont morts. Hitler est conforté dans l'idée que l'Armée rouge ne vaut rien.

3 Le 9 avril 1940, les Allemands occupent le Danemark puis débarquent en Norvège. Français et Anglais tentent en vain de leur barrer le passage. Résultat de cette nouvelle campagne éclair: l'Allemagne garde la main sur le précieux minerai de fer suédois et s'offre un « balcon » sur l'Atlantique d'où elle menace les îles Britanniques.

4 Le 10 mai 1940, la Wehrmacht envahit trois pays neutres, les Pays-Bas, le Luxembourg et la Belgique. C'est un piège !
Le coup principal est porté contre la France, à Sedan, le 13 mai. Le 15 mai, les Pays-Bas capitulent. Le 28, c'est au tour du roi des Belges. Envahie aux trois quarts, la France signe l'armistice aux conditions d'Hitler le 22 juin: elle n'existe plus comme grande puissance. Quant à l'Angleterre, elle n'a plus d'armée, ses troupes ayant perdu tout leur matériel en France.

5 Hitler espère alors débarquer en Angleterre. Mais, d'abord, il lui faut obtenir la supériorité aérienne. Le 8 août, il lance la Luftwaffe contre la Royal Air Force. Échec! En un mois, grâce, entre autres, à un usage intelligent du radar, les Anglais abattent 1268 appareils allemands, perdant eux-mêmes 832 chasseurs. Hitler renonce au débarquement. Il s'en prend alors aux villes, espérant briser le moral britannique et paralyser les usines. Toutes les nuits, jusqu'en mai 1941, le « Blitz » se déchaîne. Mais les Britanniques ne fléchissent pas. La « bataille d'Angleterre », la première bataille cent pour cent aérienne de l'Histoire, a des conséquences immenses: la Grande-Bretagne est sauvée; et, pour beaucoup d'historiens, c'est là qu'Hitler a perdu la guerre, faute de marine et d'aviation à long rayon d'action.

1 Le 28 octobre 1940, l'Italie attaque la Grèce à partir de l'Albanie. Non seulement les Grecs résistent mais ils contre-attaquent avec succès. Churchill en profite pour reprendre pied sur le continent en envoyant 4 divisions.

2 En Afrique du Nord, l'armée italienne – mal équipée, encore plus mal commandée – subit une déroute devant les Britanniques partis d'Égypte. Entre décembre 1940 et janvier 1941, elle recule de 600 km à l'intérieur de sa colonie libyenne et perd 130 000 hommes.

3 En février 1941, un corps expéditionnaire allemand, l'Afrikakorps, débarque en Libye pour aider les Italiens. Son chef, Erwin Rommel, repousse les Anglais jusqu'en Égypte.

4 En avril 1941, la Wehrmacht envahit la Yougoslavie et la démembre. Puis elle écrase les Grecs et rejette les Anglais à la mer. Avec la *Blitzkrieg,* la Wehrmacht semble vraiment posséder la potion magique de la victoire.

5 Entre novembre 1940 et juin 1941, la plupart des pays de l'Est européen se joignent à l'Axe Berlin-Rome-Tokyo : la Hongrie, la Roumanie, la Slovaquie, la Bulgarie et la Croatie. Les troupes allemandes s'y installent, notamment en Roumanie, où se trouvent les précieux pétroles de Ploiesti.

LA MÉDITERRANÉE EN FEU

Pour Hitler, l'Italie de Mussolini est le pire allié qui soit. Tout ce qu'elle entreprend échoue. Ce qui oblige le Führer à porter la guerre sur le pourtour de la Méditerranée.

Les dilemmes des chefs

HITLER est perplexe : les succès de la *Blitzkrieg* sont immenses, l'Allemagne domine le Vieux Continent… mais Churchill ne veut pas de sa paix.

Que faire ? Attaquer encore les Anglais ? Ou anéantir l'Union soviétique, dernier allié possible pour Londres ? Dès décembre 1940, Hitler a choisi : ce sera Moscou ! Son mépris des Slaves, sa haine du communisme l'ont emporté. Mais il prend un risque énorme : se battre contre deux gros adversaires à la fois.

CHURCHILL, le Premier ministre britannique, n'a qu'une idée : tenir. Seule l'entrée en guerre de l'Union soviétique et des États-Unis peut le sauver. En attendant, il décide de bombarder l'Allemagne par des raids aériens massifs.

STALINE se sait faible. En 1937, il a fait exécuter la plupart des chefs de l'Armée rouge, qui ne s'en est pas remise. Depuis 1939, il est officiellement allié d'Hitler. Excellente affaire : l'Union soviétique a pu mettre la main sur un morceau de Pologne et de Roumanie ainsi que sur les États baltes, Estonie, Lettonie, Lituanie ; en échange, elle livre à l'Allemagne des produits stratégiques comme le pétrole. Mais Staline s'inquiète de la présence de la Wehrmacht tout le long de sa frontière occidentale. Faut-il rester l'ami d'Hitler ou écouter Churchill ? Pour des raisons restées obscures, Staline, méfiant pathologique, choisit de faire confiance à Hitler…

ROOSEVELT, président des États-Unis, est favorable à une intervention contre l'Allemagne. Mais il n'a pas encore d'armée digne de ce nom et son opinion publique est attachée à la neutralité. Pour l'instant, face à Hitler, il se contente de faire monter en ligne ses navires, qui escortent les bateaux anglais, et ses usines : le 11 mars 1941, par la loi du « prêt-bail », l'Amérique devient l'arsenal de l'Angleterre.

Le Japon du général TOJO, Premier ministre, a deux obsessions : défendre les territoires conquis aux dépens de la Chine et assurer ses approvisionnements en matières premières, notamment en pétrole. Or, à l'été 1941, les États-Unis interdisent toute livraison de pétrole tant que la Chine n'aura pas été évacuée. Dès lors, les dés sont jetés : le Japon attaquera les États-Unis et le Sud-Est asiatique.

OPÉRATION « BARBAROSSA »

Finie la guerre fraîche et joyeuse! En attaquant l'Union soviétique, les Allemands déclenchent une guerre d'anéantissement, visant à détruire la nation russe. Le conflit bascule dans la barbarie. Et l'armée allemande y trouvera son tombeau.

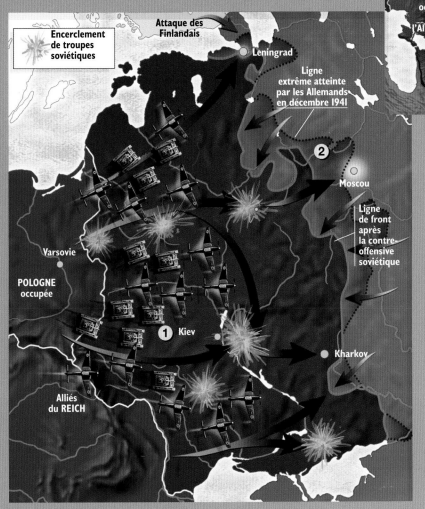

2 Décembre 1941. Le thermomètre tombe à –35 °C. L'hiver est en avance de un mois! Côté allemand, les armes sont bloquées par le gel, les soldats meurent de froid dans leurs uniformes d'été. Les Soviétiques, eux, ramènent de Sibérie des divisions parfaitement équipées: leurs services d'espionnage ont assuré que les Japonais n'attaqueront pas en Sibérie. Le 5, ils lancent une contre-offensive. Bousculés, les Allemands reculent, pour la première fois depuis 1939. Moscou est sauvée. La Wehrmacht a perdu un million d'hommes et 3 500 chars, les Soviétiques cinq fois plus. La *Blitzkrieg* a échoué. Pour l'Allemagne, l'horizon est sombre: une guerre d'usure avec des pertes terrifiantes s'annonce.

1 22 juin 1941. Quatre millions de soldats, 3 400 chars et 2 500 avions attaquent l'Union soviétique. Surprise et mal commandée, l'Armée rouge est détruite en une série de batailles d'encerclement, abandonnant 3 millions de prisonniers. Tout en retraitant de 1 500 km, les Russes jettent sans arrêt de nouvelles divisions dans la bataille. Les pertes allemandes grimpent, les chars tombent en panne, vaincus par la distance et l'absence de routes. En novembre, des pluies diluviennes transforment le front en un océan de boue. Tout est bloqué. Pourtant, le 3 décembre, dans un suprême effort, les avant-gardes pénètrent dans la banlieue de Moscou.

3 Entre août et octobre 1941, les Soviétiques réalisent un exploit. Ils déménagent à l'est de l'Oural 2 000 de leurs usines qui allaient tomber aux mains des Allemands. Dès décembre, elles livrent au front des flots de chars et de canons d'excellente qualité. Les Allemands auraient peut-être pu relever ce défi industriel. Mais, le 11 décembre, Hitler déclare la guerre aux États-Unis. Résultat: un flot de matériel *made in USA* viendra, par le port de Mourmansk, corriger les points faibles de l'Armée rouge.

LE DÉFERLEMENT JAPONAIS

Face à la puissance industrielle des États-Unis, le temps joue contre les Japonais. Ils sont condamnés à frapper fort et par surprise. En clair, détruire la flotte américaine, conquérir l'Asie du Sud-Est puis en tirer les richesses permettant une guerre longue.

1 7 décembre 1941. Quatre cents avions japonais décollent de 6 porte-avions. Objectif de l'attaque surprise : Pearl Harbor, le port des îles Hawaii où mouille la flotte américaine du Pacifique. En une heure, elle est anéantie. Les Japonais ont tout joué sur ce coup de dés. Avec un succès mitigé : la plupart des navires coulés seront renfloués. Et, surtout, les 4 porte-avions américains – nouveaux rois des mers – n'étaient pas là…

2 De décembre 1941 à mai 1942, une poignée de divisions nippones balaient la présence européenne en Extrême-Orient. Les Britanniques perdent la Malaisie et le grand port de Singapour : 130 000 de leurs soldats capitulent ! À travers la Birmanie, les Japonais arrivent aux portes de l'Inde. Les Indes néerlandaises (l'actuelle Indonésie), riches en pétrole, sont à leur tour submergées. Puis le général MacArthur doit évacuer les Philippines. Enfin, les Japonais débarquent des troupes en Nouvelle-Guinée et aux îles Salomon en vue de s'en prendre à l'Australie.

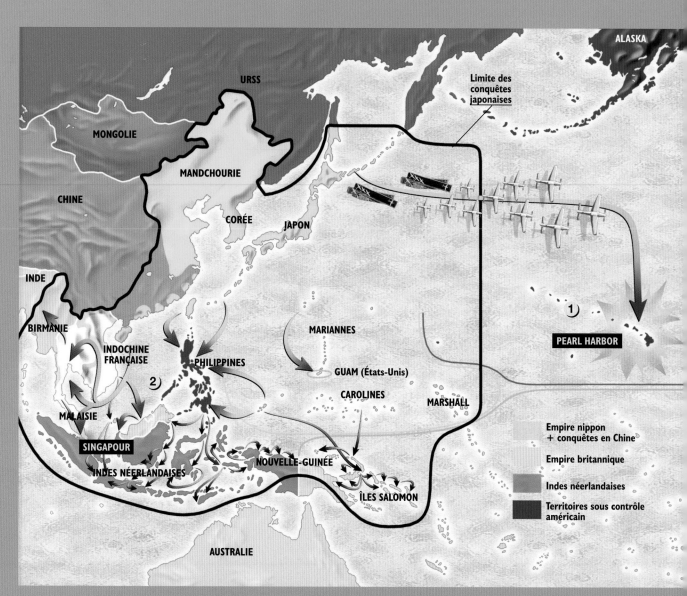

LE COUP DE CHANCE DE MIDWAY

Le stratège nippon, l'amiral Yamamoto, veut Midway. Cette île minuscule commande le Pacifique central. Sa possession mettrait le Japon pour longtemps à l'abri d'une offensive américaine.

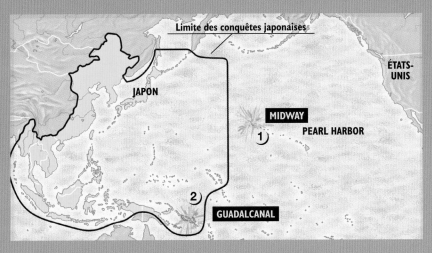

1 Pour envahir Midway, Yamamoto dispose de 6 porte-avions ; il escompte que les Américains engageront les 3 qui leur restent. Mais, grâce au système de décryptage Magic, les Américains connaissent la date de l'attaque : le 4 juin 1942. Et la chance est avec eux. Une de leurs escadrilles tombe par hasard sur la flotte japonaise en plein ravitaillement. En 5 minutes, 3 porte-avions sont coulés. L'empire du Soleil-Levant est déjà sur la défensive, six mois après le début des hostilités.

2 Le second coup d'arrêt donné au Japon intervient dans les îles Salomon, à Guadalcanal. MacArthur y débarque le 7 août 1942. La bataille est longue et confuse : elle ne cessera qu'avec le retrait des Japonais en mars 1943.

L'AXE CHASSÉ D'AFRIQUE

Hitler a négligé la guerre en Afrique. Quand il comprend son erreur, il est trop tard !

1 En septembre 1942, l'Afrikakorps et l'armée italienne sont devant le village d'El-Alamein à 100 km d'Alexandrie. Le chef britannique, Montgomery, accumule trois fois plus de matériel que l'ennemi. Les chars de Rommel se cassent les dents sur les barrages d'artillerie et les champs de mines. La contre-attaque de Montgomery démarre le 23 octobre. Les Germano-Italiens doivent retraiter. Ils ne s'arrêteront que 2 000 km à l'ouest, en Tunisie.

2 Le 8 novembre, les Américains commandés par Eisenhower débarquent au Maroc et en Algérie, possessions françaises : voilà 100 000 hommes dans le dos de Rommel !

3 Hitler prend conscience du danger : comme l'avait vu Churchill, la Méditerranée est « le bas-ventre mou » de l'Axe. Le 11 novembre, la Wehrmacht envahit la moitié sud de la France, restée libre sous l'autorité du maréchal Pétain. Celui-ci ouvre la Tunisie aux Allemands qui y déversent des renforts pour bloquer les Américains. Hitler tente au passage de mettre la main sur la flotte française de Toulon mais celle-ci choisit de se saborder le 27 novembre.

4 En Tunisie, les Germano-Italiens sont dans une souricière. Ils capitulent le 7 mai 1943. Les Alliés sont maîtres de l'Afrique et de la Méditerranée.

15

STALINGRAD, MÈRE DE TOUTES LES BATAILLES

Finie l'offensive générale en Russie. Le beau temps revenu, Hitler ne peut choisir qu'un objectif limité : les champs de pétrole du Caucase. Il ne pouvait prévoir qu'une ville au bord de la Volga allait lui être fatale.

Les dilemmes des chefs

GOEBBELS, ministre de la Propagande du Reich, demande le 18 février 1943 : « *Voulez-vous une guerre totale ?* » « *Heil Hitler !* » acquiesce une foule en délire. Qu'est-ce à dire ? Primo, le Reich n'a plus d'autre politique que la lutte à outrance jusqu'à la victoire finale. Deuzio, il entend mobiliser à cent pour cent son économie. Comment payer cet effort ? En pillant les pays conquis, notamment la France. Où trouver les ouvriers nécessaires ? En déportant près de 8 millions de travailleurs étrangers.

En 1941 et 1942, le régime soviétique a failli s'effondrer sous les coups de boutoir allemands. Après Stalingrad, l'optimisme revient. Mais STALINE a peur de la Wehrmacht dont les méthodes et le commandement restent bien supérieurs à ceux de l'Armée rouge. Aussi presse-t-il les Occidentaux d'ouvrir un « second front ».

ROOSEVELT a deux guerres à mener : contre le Japon et contre Hitler. Dès 1941, avec Churchill, il a décidé d'abattre l'Allemagne en priorité. Il lui faut quand même envoyer des forces dans le Pacifique, au détriment de l'Europe, ce qui l'oblige à adopter la stratégie de Churchill. Le Britannique, en effet, veut attaquer l'Allemagne par son point faible, l'Italie. L'Américain voudrait débarquer au plus vite en France et foncer vers le Rhin. La solution Churchill l'emporte provisoirement.

Le général TOJO, Premier ministre japonais, n'a plus guère de choix. Impossible, après l'échec de Midway, d'amener les Américains à la négociation. D'autant plus que ceux-ci veulent une victoire totale. Il ne reste qu'à opposer une défense farouche en espérant fatiguer l'opinion publique américaine.

Le monde entier a vu ces files de prisonniers loqueteux et transis : cela a été la fin du mythe de l'invincibilité de la Wehrmacht.

Au terme de cent quarante-trois jours de bataille, les Soviétiques encerclent deux armées allemandes.

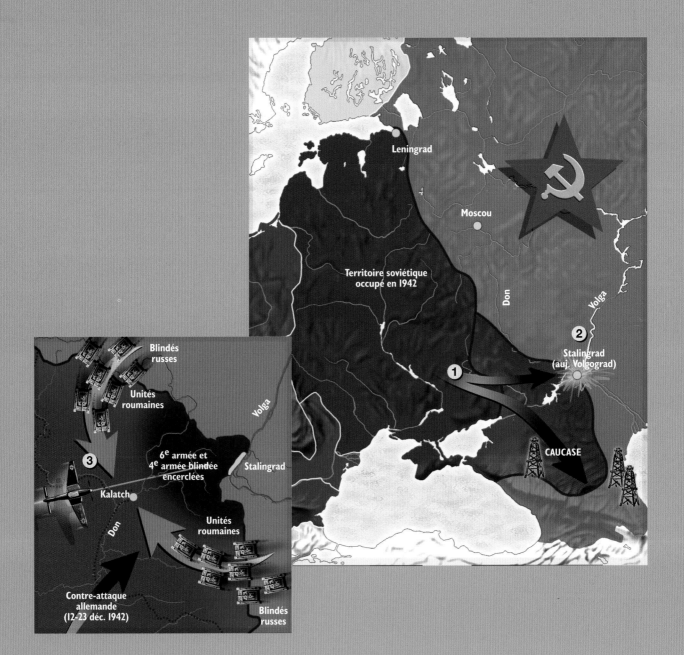

1 Le 28 juin 1942, 88 divisions se lancent à l'assaut du sud de la Russie. Battus, les Russes reculent jusqu'à la Volga et au Caucase. Mais l'offensive allemande s'écartèle selon deux axes, ce qui l'affaiblit en l'étirant sur 4 500 km de long !

2 Fin août, les Allemands entrent dans les faubourgs de Stalingrad. Staline décide de se battre pour garder la ville qui porte son nom. Les Allemands commettent l'erreur d'engager leurs chars dans des combats de rues pour lesquels ils ne sont pas faits. Commence une furieuse bataille d'usure. On se bat nuit et jour de cave en cave, d'appartement en appartement, dans les décombres d'usines. La *Blitzkrieg* est loin !

3 Hitler s'entête : il veut la ville. Il ne voit pas la situation dangereuse de ses armées qui sont flanquées, au nord et au sud, d'unités roumaines mal équipées. Du côté soviétique, le général Joukov amasse les renforts. Il frappe le 19 novembre 1942, réalisant un encerclement fulgurant. Trois cent mille hommes sont ainsi pris au piège. Hitler refuse de leur donner l'ordre de percer, comptant sur un pont aérien gigantesque pour ravitailler la « poche ». Illusion… Le 2 février 1943, au terme d'une bataille qui aura duré 143 jours, les 90 000 derniers défenseurs allemands – avec un maréchal et 22 généraux – se rendent, à moitié morts de faim et de froid. Jamais dans l'Histoire une armée allemande n'avait subi pareille humiliation.

L'IMPASSE ITALIENNE

Le second front italien ne tient pas ses promesses. Avec un minimum
de troupes, les Allemands contiennent les Alliés incapables de passer à une guerre
de mouvement.

Capitulation sans conditions !

En janvier 1943, Churchill et Roosevelt tiennent une conférence à Casablanca, au Maroc. Ils y prennent différentes décisions dont l'une va peser d'un poids énorme sur la guerre. Face à l'Allemagne, il n'y aura pas de paix de compromis, pas d'armistice comme en 1918 ; seule la capitulation sans conditions, la victoire totale, est envisageable. « *C'est la première fois dans l'Histoire qu'une telle exigence est proclamée*, explique Philippe Masson, spécialiste du conflit. *Les raisons en sont complexes. Churchill et Roosevelt haïssent l'Allemagne en elle-même ; ils déchaînent dans leurs opinions publiques une haine encore plus grande. Surtout, ils sont hantés par l'idée que Staline puisse, de son côté, signer une paix séparée avec Hitler ; ils pensent lui ôter tout prétexte de le faire en se montrant intransigeants vis-à-vis du Reich. Ce qui n'empêchera pas Staline de chercher, jusqu'en janvier 1945, le contact avec Hitler !* » Les conséquences de cette intransigeance sont gigantesques. Hitler – et les Allemands qui s'opposent à lui – n'ont qu'une solution, se battre jusqu'au bout. Et la disparition proclamée – et obtenue – de la puissance allemande va permettre à Staline de s'installer en plein cœur de l'Europe.

1 Le 10 juillet 1943, les Anglo-Américains débarquent en Sicile. L'Italie fasciste s'effondre. Le 26 juillet, Mussolini est arrêté sur ordre du roi Victor-Emmanuel III qui essaie de sauver ce qui peut l'être.

2 Mais ce retournement ne sauve pas les Italiens d'une capitulation sans conditions (le 3 septembre). Aussitôt, les Alliés débarquent à la pointe de la botte. Hitler réagit à toute vitesse. Des troupes arrivent en Italie, pendant qu'un commando délivre Mussolini.

3 Le terrain montagneux permet aux Allemands d'établir une défense qui est un modèle du genre. Les armées alliées piétinent. Elles n'entrent à Rome que le 5 juin 1944 !

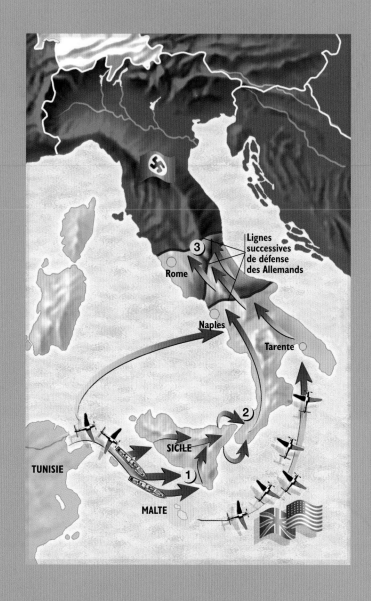

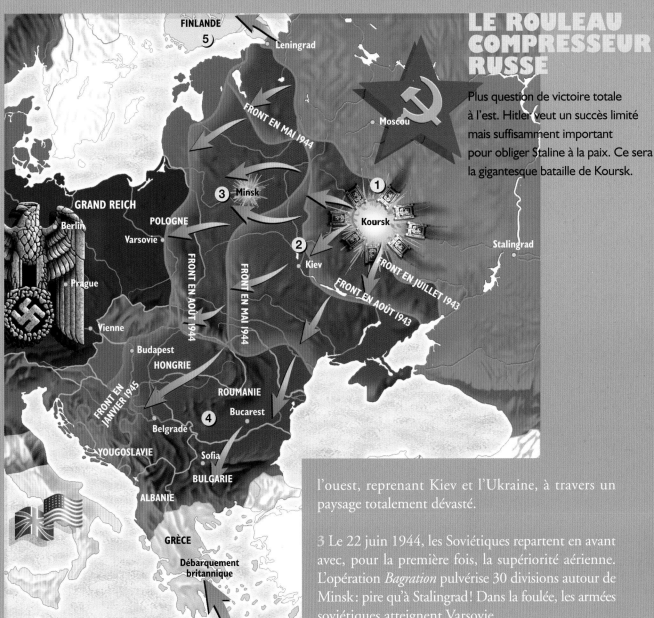

LE ROULEAU COMPRESSEUR RUSSE

Plus question de victoire totale à l'est. Hitler veut un succès limité mais suffisamment important pour obliger Staline à la paix. Ce sera la gigantesque bataille de Koursk.

1 Sur le front russe, la Wehrmacht attaque le saillant de Koursk. La bataille s'engage le 5 juillet 1943. Jamais autant de blindés ne se sont affrontés : 4 000 soviétiques contre 2 700 allemands ! Les Soviétiques tiennent bon, notamment grâce à leur artillerie. C'est un désastre pour les Allemands : ils ont perdu leur réserve de blindés et toute initiative à l'est. Staline est désormais en position de force.

2 Dans la foulée de Koursk, les Soviétiques déclenchent une série d'attaques auxquelles l'infanterie allemande ne peut résister. Ils avancent de 800 km vers l'ouest, reprenant Kiev et l'Ukraine, à travers un paysage totalement dévasté.

3 Le 22 juin 1944, les Soviétiques repartent en avant avec, pour la première fois, la supériorité aérienne. L'opération *Bagration* pulvérise 30 divisions autour de Minsk : pire qu'à Stalingrad ! Dans la foulée, les armées soviétiques atteignent Varsovie.

4 La défaite de Minsk a des conséquences catastrophiques pour l'Allemagne. Au sud, impossible d'arrêter les Soviétiques qui entrent en Roumanie. Paniqués, les Roumains changent de camp et déclarent la guerre à l'Allemagne le 23 août : le pétrole de Ploiesti échappe à Hitler ; ses chars vont de plus en plus souvent tomber en panne. Les Bulgares eux aussi changent de camp, facilitant l'avance soviétique au cœur de la Hongrie et de la Yougoslavie. Du coup, les Allemands évacuent la Grèce où les Anglais débarquent, évitant à ce pays de passer sous domination soviétique.

5 En septembre, la Finlande signe la paix avec l'Union soviétique. Sa belle résistance lui vaut de conserver son indépendance.

LA FRANCE LIBÉRÉE

Enfin, les Occidentaux décident de s'attaquer directement aux forces vives de la Wehrmacht. À leur façon, avec un luxe de matériels et de préparation, ils lancent *Overlord,* la plus grande opération amphibie et aéroportée de l'Histoire.

LES CINQ PHASES DE LA BATAILLE

Un : le Débarquement sur 5 plages (6 juin). Une contre-attaque allemande est écrasée par l'aviation. Deux : la bataille de la logistique. Les Alliés construisent deux ports artificiels, l'un à Arromanches, l'autre à Port-en-Bessin. De plus, les Américains s'emparent de Cherbourg le 26 juin. Trois : des assauts britanniques répétés sur Caen. Échec. Quatre : une percée américaine vers Avranches fin juillet, suivie d'une autre vers la Bretagne. Cinq : le quasi-encerclement des Allemands dans la « poche » de Falaise à la mi-août.

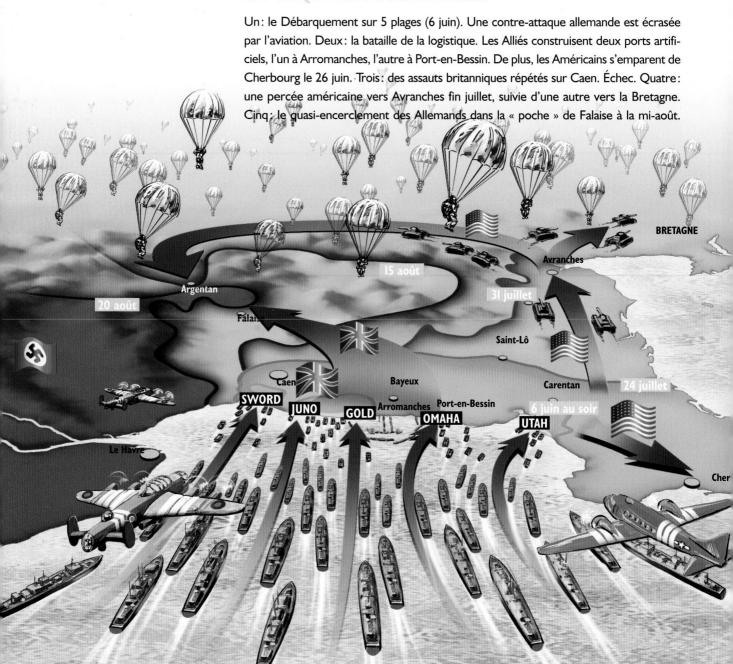

BRETAGNE

Avranches

15 août

Argentan

20 août   31 juillet

Falaise

Saint-Lô

Caen   Bayeux   Carentan   24 juillet

SWORD   JUNO   GOLD   Arromanches   Port-en-Bessin   6 juin au soir

OMAHA   UTAH

Le Havre

Cher

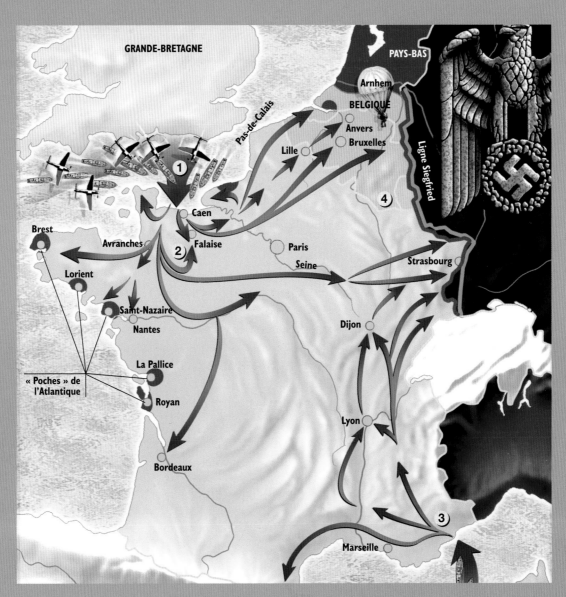

1 Le 6 juin 1944, une armada sans précédent arrive en vue des côtes normandes. 5 800 navires, 10 000 avions, 100 000 hommes en première vague. À noter que cette énorme force, principalement venue des États-Unis, n'a pu être rassemblée que grâce à la maîtrise complète des mers acquise l'année précédente. Sous le choc, les premières défenses sont vite percées. Les Allemands, trompés par une gigantesque opération d'intox, ne font pas venir leurs troupes du Pas-de-Calais à la rescousse.

2 Cependant, les Alliés sont piégés dans le bocage normand par une remarquable défense allemande. Mais leur supériorité aérienne est écrasante ; elle leur permet de détruire le réseau ferroviaire français, de ralentir l'arrivée des renforts. Finalement, le 31 juillet, les blindés du général Patton percent à Avranches. S'ensuit, à Falaise, une bataille d'encerclement où les Allemands perdent la majeure partie de leur matériel. Au prix d'un tour de force, le gros de la troupe parvient néanmoins à s'échapper au-delà de la Seine. Paris est libéré le 25 août.

3 Le 15 août, Américains et Français débarquent en Provence. La résistance allemande est faible. La jonction avec les troupes venues de Normandie se fait à Langres.

4 En septembre et octobre, les Alliés avancent à toute allure. Toute la France, sauf une partie de l'Alsace, est libérée, ainsi que la Belgique. Mais les Allemands ont laissé des garnisons dans les ports français, Le Havre, Brest, Saint-Nazaire, Lorient. Pire, la lenteur du général Montgomery permet aux Allemands de bloquer le grand port belge d'Anvers. Résultat : les armées alliées, entièrement motorisées, doivent s'arrêter faute d'essence. Une tentative aéroportée pour passer le Rhin à Arnhem, aux Pays-Bas, échoue. Et le raidissement inattendu de la Wehrmacht fige le front à l'automne.

L'AGONIE DU REICH

Qui, des Américains ou des Soviétiques, libérera Berlin et Prague?
Le visage de l'après-guerre dépend en partie de ces derniers mois de guerre.

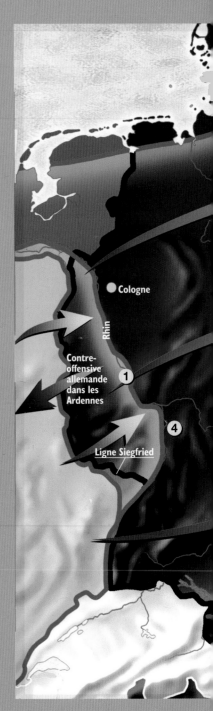

1 Hitler le joueur tente un coup de poker à l'ouest. Le 16 décembre 1944, profitant du mauvais temps qui cloue l'aviation alliée au sol, il lance une contre-offensive dans les Ardennes. Objectif: Anvers, principale base alliée. Trois cent mille hommes et 1 200 chars enfoncent les Américains complètement surpris. Mais l'avance est vite bloquée. Dès Noël, le beau temps revient et l'aviation alliée se déchaîne. Les Alliés reprennent le terrain perdu. Au total, une catastrophe pour la Wehrmacht. Elle a perdu 100 000 hommes et ses derniers blindés. Or, ceux-ci vont manquer cruellement pour faire face aux Soviétiques qui prennent la route de Berlin!

2 L'armée soviétique reprend l'offensive le 12 janvier 1945. Les Allemands luttent à 1 contre 5! La Pologne est libérée, le territoire du Reich envahi. Cinq millions de civils allemands terrorisés fuient vers l'ouest sur les routes glacées. En mars, les Soviétiques font une dernière pause sur le fleuve Oder: Berlin n'est qu'à 80 km. Les Anglo-Saxons, eux, sont encore sur le Rhin.

3 L'Allemagne est un chaos de ruines. Le ciel pullule de chasseurs alliés. Les villes sont écrasées sous un déluge de bombes. Les usines d'essence synthétique sont détruites, les chemins de fer paralysés. Aucune défense sérieuse n'est plus possible à l'ouest.

4 En mars 1945, Américains, Britanniques et Français traversent enfin le Rhin. Le moral de la Wehrmacht s'effondre, ce qui ne sera pas le cas devant les Soviétiques. Aussi les Occidentaux s'enfoncent-ils facilement au cœur du pays. Ils auraient pu prendre Berlin et Prague. Mais Eisenhower ne veut pas risquer la vie de ses soldats dans des combats de rues. De plus, la mort de Roosevelt – le 12 avril – le laisse sans directives politiques. Staline saura profiter de cette erreur.

5 En avril, les Soviétiques donnent le dernier assaut à Berlin encerclé. Les Allemands se défendent avec l'énergie du désespoir face à 2 millions de Soviétiques appuyés par 40 000 canons et 6 000 chars. Les combats de rues sont d'une violence inouïe, les pertes astronomiques. Le 30 avril, les soldats soviétiques arrivent à 300 m du *bunker* d'Hitler. Ils ne l'auront pas vivant: le Führer se suicide. Le 25, Américains et Soviétiques avaient déjà fait leur jonction à Torgau, sur l'Elbe. Le 8 mai, les chefs de la Wehrmacht signent la capitulation sans conditions à Reims. La cérémonie est répétée le 9 mai à Berlin. La guerre est finie en Europe.

Hambourg

Elbe

Oder

② Berlin ⑤

Torgau

③

Munich

Prague

Zone
libérée
après le
8 mai 1945

Vienne

Breslau

POLOGNE

Varsovie

Vistule

Budapest

Les dilemmes des chefs

HITLER est aux abois. Le 20 juillet 1944, il échappe de peu à un attentat préparé par des officiers de la Wehrmacht. Mais le régime nazi survit et l'armée continue de se battre avec acharnement. Hitler n'envisage plus qu'une issue : gagner du temps. Qu'attend-il ? La production de masse de ses « armes miracles » – fusées V2 et chasseurs à réaction – et la rupture, qu'il croit inévitable,

entre Anglo-Saxons et Soviétiques.

Dès 1943, LE JAPON sait qu'il a perdu la guerre. Son industrie ne fait pas le poids face à celle des Américains . Mais ses soldats vont se battre encore deux ans avec un sens inimaginable du sacrifice.

STALINE n'a plus qu'une idée : mettre sous sa coupe les pays de l'Est européen, de la Pologne à la Yougoslavie. Lors de la

conférence de Yalta, en février 1945, il obtient la reconnaissance de ses ambitions. Il n'y a pas eu « partage du monde » à Yalta : Roosevelt et Churchill ont entériné un état de fait, la plupart de ces pays étant déjà occupés par l'Armée rouge.

ROOSEVELT, toujours à Yalta, presse Staline de l'aider à achever le Japon. Staline promet d'entrer en guerre trois mois après l'effondrement du Reich.

LE NAUFRAGE DE L'EMPIRE JAPONAIS

Après leur victoire de Guadalcanal, en 1943, les Américains avancent suivant deux axes: vers les Philippines, sous le commandement de MacArthur; dans le Pacifique central avec l'amiral Nimitz.

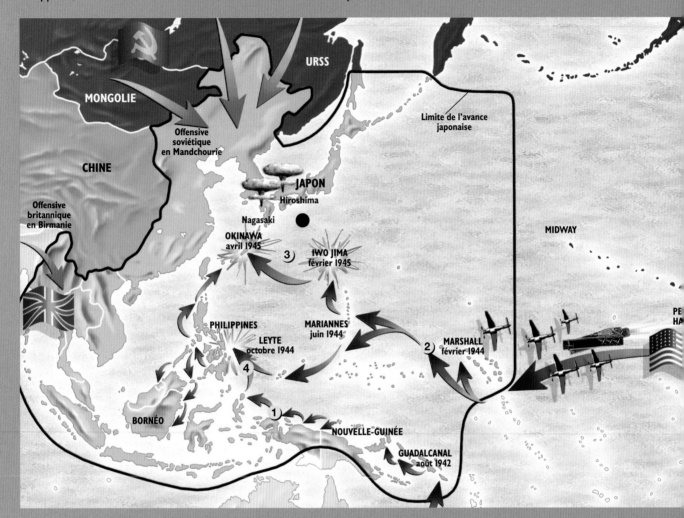

1 Il faut dix-huit mois à MacArthur pour avancer de Guadalcanal aux Philippines, qui tombent en octobre 1944. Dans le golfe de Leyte, une énorme bataille aéronavale entraîne la destruction de la dernière flotte japonaise. Son adversaire, la Task Force 38, comptait 17 porte-avions embarquant dix fois plus d'appareils!

2 Au centre, Nimitz opère des dizaines de débarquements qui font tomber les îles et les archipels les uns après les autres. Les Japonais se battent jusqu'au dernier homme: il n'y a pratiquement pas de prisonniers…

3 En mars et juin 1945, deux batailles, à Iwo Jima et Okinawa, amènent les Américains aux portes du Japon. Près de 20 000 hommes sont tués pour prendre les deux îlots; les pertes japonaises sont dix fois supérieures… Le cuirassé géant *Yamato* tente une sortie suicide: il est coulé par les avions américains. Des milliers de Japonais se suicident plutôt que de se rendre, pendant que les kamikazes s'abattent par milliers. En attendant, les Américains écrasent le Japon sous les bombes de leurs Superforteresses volantes B-29. Le seul raid du 9 mars 1945 détruit Tokyo, tuant 84 000 civils.

4 Cette farouche résistance décide les Américains à employer l'arme atomique. Le 6 août, Hiroshima est vitrifiée, le 9 août Nagasaki. Entre-temps, l'Union soviétique a déclaré la guerre au Japon et l'Armée rouge déferle en Chine du Nord. Le 15 août, écartant les militaires jusqu'au-boutistes, l'empereur Hiro-Hito en personne annonce la reddition de son pays. La capitulation sans conditions est signée le 2 septembre 1945, à bord du cuirassé *Missouri* ancré en baie de Tokyo. La Seconde Guerre mondiale est terminée.

UN BILAN EFFRAYANT

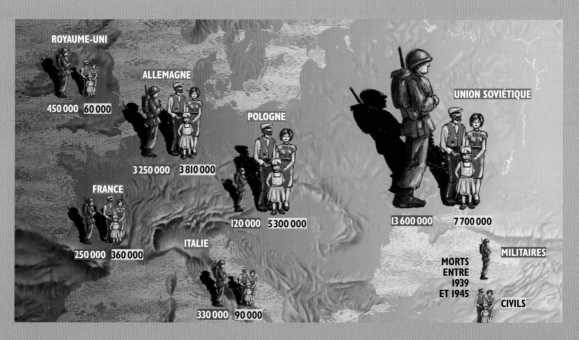

ROYAUME-UNI   450 000   60 000

ALLEMAGNE   3 250 000   3 810 000

POLOGNE   120 000   5 300 000

UNION SOVIÉTIQUE   13 600 000   7 700 000

FRANCE   250 000   360 000

ITALIE   330 000   90 000

MORTS ENTRE 1939 ET 1945   MILITAIRES   CIVILS

LES MORTS

Les estimations des pertes humaines dues à la guerre sont très incertaines. Selon les spécialistes, elles vont de 35 à 60 millions de morts! Pour la seule Union soviétique, les chiffres varient de 15 à 25 millions… Et dire que les 13 millions de morts de la Première Guerre mondiale semblaient un record indépassable. Quatre-vingt-quinze pour cent de ces tués étaient des soldats alors que la Seconde Guerre mondiale a eu le triste privilège d'être le premier conflit à tuer plus de civils que de militaires. Notez sur le dessin ci-dessus et ci-dessous l'énormité des pertes soviétiques et la faiblesse relative de celles des États-Unis.

CHINE   2 200 000   7 000 000

JAPON   1 700 000   360 000

ÉTATS - UNIS   300 000

LES SOMMETS DE LA BARBARIE

Juifs et Tziganes ont été victimes d'un génocide inouï faisant 6 millions de morts. Un million deux cent mille déportés politiques ont aussi péri dans les camps nazis. Les bombardements de terreur ont tué 600 000 civils allemands, 600 000 japonais, 60 000 britanniques. Par millions, Russes, Ukrainiens, Polonais ont été réduits en esclavage dans les usines allemandes. Les massacres sont innombrables. En URSS, en Pologne, les Allemands ont rayé de la carte des milliers de villages, exterminant leur population. Les Japonais n'ont pas été en reste. Les Alliés aussi ont commis leur part de crimes. Les Soviétiques ont assassiné 11 000 Polonais à Katyn en 1940, des centaines de milliers de civils allemands en 1945. Les Anglo-Saxons se sont acharnés sur les villes allemandes au-delà du nécessaire, sans parler des deux bombes atomiques sur le Japon. En 1945, l'espèce humaine ne nourrit plus beaucoup d'illusions sur elle-même…

1945

UN TORRENT DE RÉFUGIÉS

La guerre a entraîné de gigantesques mouvements de population. En 1945, au moins
20 millions de personnes errent à travers
l'Europe! Déportés juifs, déportés politiques, déportés du travail, prisonniers de
guerre, réfugiés allemands se mêlent en une
bande misérable déambulant à travers les
ruines. Les Soviétiques ont taillé à la hache
dans les frontières de l'Europe orientale.
Les Allemands sont les grands perdants.
Douze millions d'entre eux sont expulsés
de Prusse, de Silésie, des Balkans, de
Tchécoslovaquie. Les Japonais fuient leurs
anciennes colonies de Mandchourie, de
Taïwan, de Corée.

Principaux déplacements
de population allemande

2,4 Population allemande déplacée
(en millions de personnes)

URSS
Autres pays communistes
Territoires perdus par
l'Allemagne en 1945
Les Allemagnes en 1949

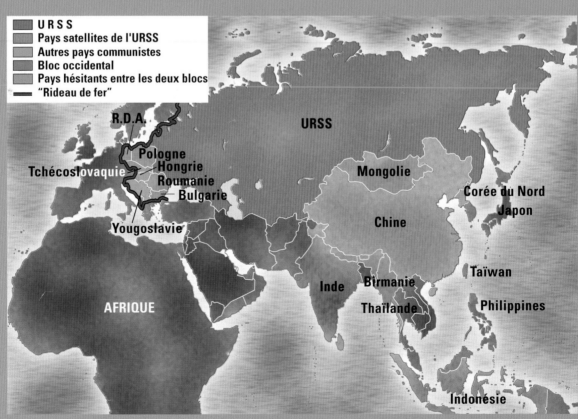

URSS
Pays satellites de l'URSS
Autres pays communistes
Bloc occidental
Pays hésitants entre les deux blocs
"Rideau de fer"

26

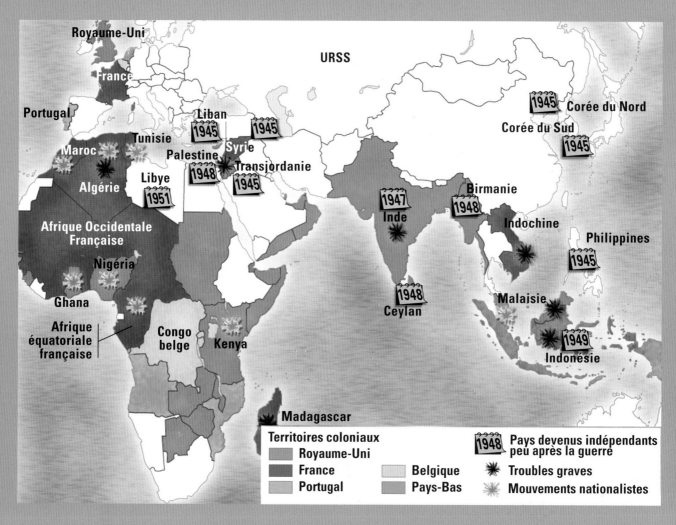

Royaume-Uni
France
Portugal
URSS
Liban **1945**
1945
Tunisie
Maroc
Palestine Syrie
1948 Transjordanie
Libye **1945**
Algérie **1951**
Afrique Occidentale Française
Nigéria
Ghana
Afrique équatoriale française
Congo belge
Kenya
1945 Corée du Nord
Corée du Sud **1945**
1947 Birmanie **1948**
Inde
Indochine
Philippines **1945**
Ceylan **1948**
Malaisie
1949
Indonésie
Madagascar

Territoires coloniaux
Royaume-Uni
France   Belgique
Portugal   Pays-Bas

1948 Pays devenus indépendants peu après la guerre
✸ Troubles graves
✴ Mouvements nationalistes

LE MONDE COUPÉ EN DEUX

La guerre a fait émerger deux superpuissances, les États-Unis et l'Union soviétique. La vieille Europe, qui dominait le monde depuis le XVIIIe siècle, n'est plus grand-chose. Très vite, les rapports entre anciens alliés tournent à l'aigre. À partir de 1947, la « guerre froide » opposera les États-Unis et leurs alliés au bloc soviétique. Une gigantesque compétition avec course aux armements et menace atomique à la clé empoisonnera le monde jusqu'en 1989, date de l'effondrement du système soviétique.

LES COLONIES EN ÉBULLITION

En 1939, les deux tiers des êtres humains vivent sous la domination coloniale de l'Europe et du Japon. En 1945, ces empires se lézardent. En Inde, les Britanniques ne peuvent plus contenir les demandes d'indépendance, qui aboutiront en 1947. En Algérie, en Indochine, la France affronte de dures révoltes qui déboucheront sur de vraies guerres. C'est que ces peuples ont constaté que l'Europe n'était pas invincible, qu'elle bafouait allègrement ses propres « valeurs de civilisation ». Comment les Algériens respecteraient-ils l'autorité de la France, anéantie en 1940 comme une puissance de troisième ordre ? Pourquoi Indonésiens ou Malais obéiraient-ils encore aux « seigneurs » anglais et hollandais après les avoir vus balayer les rues sous l'œil goguenard des soldats japonais ? La guerre a lancé la décolonisation, qui durera jusque dans les années soixante.

A-25404.

Préfecture de Bouches

Carte d'identité

JUIVE

LA SHOAH

Pourquoi les nazis ont-ils
décidé d'exterminer
les Juifs d'Europe?
Qui a donné l'ordre?
Quand? Qui a aidé
les bourreaux? Pourquoi
les Alliés n'ont-ils rien fait?

Pour la première fois, un État
met tout en œuvre pour
exterminer tous les membres
d'une communauté, à l'échelle
d'un continent.

En 1940, les Allemands cadenassent 450 000 Juifs dans le ghetto de Varsovie. Les plus pauvres, à l'image de ces enfants, disposent alors de 800 calories par jour. 80 000 mourront de la faim ou du typhus, 300 000 seront gazés à Treblinka à l'été 1942.

Ci-dessous, en Union soviétique, les Allemands enclenchent la « solution finale » en 1941, avec des moyens « traditionnels » : 750 000 Juifs sont exécutés par balle après avoir creusé leur tombe.

La porte du camp d'extermination d'Auschwitz-Birkenau, où un million de Juifs furent gazés entre 1942 et 1944.

COMBIEN, OÙ, COMMENT ?

Combien de Juifs assassinés par les nazis ? six millions, retint le tribunal de Nuremberg. Quelque 5,1 millions, estime l'historien américain Raul Hilberg, dans sa monumentale étude sur *La destruction des Juifs d'Europe* parue en 1961. Plus récemment, *L'Encyclopédie de l'Holocauste*, publiée en 1993 en Allemagne, hésite entre 5 596 000 et 5 860 000 morts. En fait, nous ne posséderons jamais de chiffres exacts ; il faut se contenter de la « fourchette » 5 à 6 millions.

Comment les nazis ont-ils fait pour assassiner une telle masse de gens ? En utilisant trois moyens. D'abord, la faim et la maladie. Un million de Juifs ont ainsi péri de mort lente dans les ghettos surpeuplés de Pologne (Varsovie, Lodz, Lublin) où les Allemands les avaient concentrés. Ensuite, les fusillades de masse des *Einsatzgruppen*. Ces « groupes d'intervention » motorisés de la SS ont opéré en Union soviétique de juin 1941 à janvier 1942. Bilan : 750 000 victimes. Trop lent, trop voyant pour les nazis. D'où le troisième moyen : le gazage par monoxyde de carbone ou acide cyanhydrique (Zyklon B) dans six camps d'extermination. Trois millions d'hommes, de femmes et d'enfants sont morts de cette façon.

Où étaient ces camps ? En Pologne occupée, toujours près d'une ligne de chemin de fer, à Auschwitz-Birkenau, Belzec, Maïdanek, Chelmno, Sobibor et Treblinka. À ne pas confondre avec les autres camps nazis, une soixantaine environ, dits « camps de concentration » (Dachau, Buchenwald, Mauthausen, par exemple). Les détenus (résistants et droit commun) y mouraient, en quelques mois, par la sous-alimentation et le travail forcé. Mais les six camps d'extermination, eux, ont été conçus pour éliminer en quelques heures 95 à 99 % des Juifs – hommes, femmes, enfants – qui y entraient. Les corps étaient ensuite brûlés dans des fours crématoires à grande capacité.

GÉNOCIDE À L'ÉCHELLE D'UN CONTINENT

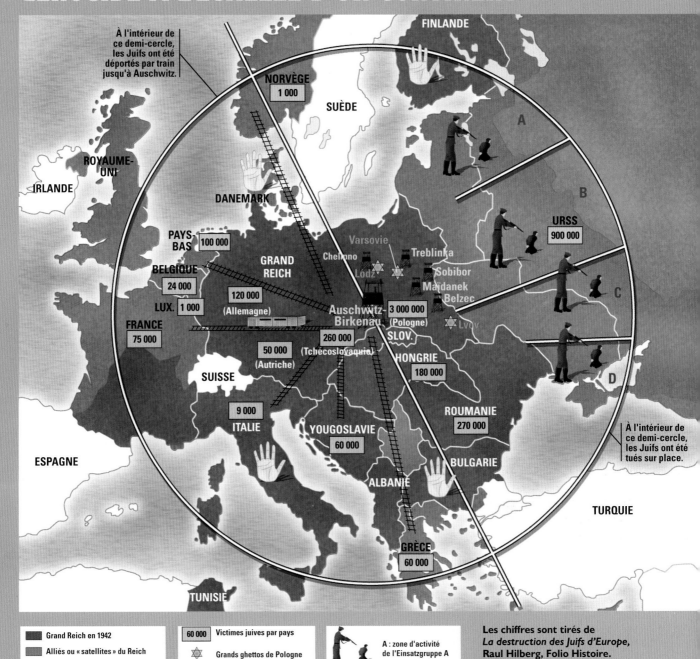

À l'intérieur de ce demi-cercle, les Juifs ont été déportés par train jusqu'à Auschwitz.

À l'intérieur de ce demi-cercle, les Juifs ont été tués sur place.

FINLANDE

NORVÈGE 1 000

SUÈDE

A

B

URSS 900 000

ROYAUME-UNI

IRLANDE

DANEMARK

PAYS-BAS 100 000

GRAND REICH

Varsovie

Chelmno

Łódz

Treblinka

Sobibor

Maïdanek

Belzec

C

BELGIQUE 24 000

120 000 (Allemagne)

Auschwitz-Birkenau

3 000 000 (Pologne)

Lvov

LUX. 1 000

FRANCE 75 000

SLOV.

D

260 000 (Tchécoslovaquie)

50 000 (Autriche)

HONGRIE 180 000

SUISSE

ROUMANIE 270 000

9 000 ITALIE

YOUGOSLAVIE 60 000

BULGARIE

ESPAGNE

ALBANIE

TURQUIE

GRÈCE 60 000

TUNISIE

Légende :

- Grand Reich en 1942
- Alliés ou « satellites » du Reich
- Territoires occupés par l'Allemagne ou ses alliés
- Ennemis du Reich
- Pays neutres

- 60 000 : Victimes juives par pays
- ✡ : Grands ghettos de Pologne
- Camps d'extermination

- A : zone d'activité de l'Einsatzgruppe A
- Pays ayant refusé la déportation des Juifs

Les chiffres sont tirés de *La destruction des Juifs d'Europe*, Raul Hilberg, Folio Histoire.

Les 3 millions de Juifs polonais ont été assassinés quasiment sur place. Par la faim et la maladie dans les ghettos grands et petits ; par le gaz dans les camps de Treblinka, Belzec, Sobibor, Chelmno, Maïdanek. Près de un million de Juifs soviétiques et baltes ont été fusillés par les 3 000 hommes des unités spéciales de la SS, les *Einsatzgruppen* A, B, C et D. Enfin, 1,1 million de Juifs ont été acheminés par un millier de trains de l'ouest, du nord et du sud de l'Europe vers l'usine de mort d'Auschwitz. Seuls l'Italie, la Finlande, la Bulgarie (alliées du Reich) et le Danemark (occupé) se sont vraiment opposés aux déportations.

Les Allemands ont d'abord voulu se débarrasser des Juifs en les poussant à émigrer. Ces premiers déportés (à Baden-Baden en 1938, après « la Nuit de cristal ») seront chassés vers la Pologne en 1939.

Aux ordres d'Hitler, les deux principaux architectes de la « solution finale ». À gauche, Heinrich Himmler, chef des SS et de la police. À droite, Reinhardt Heydrich, patron de l'Office central de sécurité du Reich (RSHA), dont dépend la Gestapo.

POURQUOI LES JUIFS ?

Les nazis n'ont pas été les premiers à haïr les Juifs. Loin de là. C'est une vieille tradition chrétienne, une maladie européenne qui remonte au fond du Moyen Âge. Au XIXe siècle, certains penseurs ont habillé leur antisémitisme d'arguments « biologiques » faisant des Juifs une « race impure ». Les nazis n'ont rien inventé dans ce domaine, ils se sont contentés d'exploiter un fonds de commerce qui existait avant eux. Ajoutons qu'avant l'arrivée d'Hitler au pouvoir, en 1933, l'Allemagne n'est pas plus antisémite que la France, l'Autriche ou les pays d'Europe orientale.

Par ailleurs, le racisme nazi ne s'est pas fixé seulement sur les Juifs. Durant la guerre, de 220 000 à 500 000 Tziganes – les chiffres sont très incertains – seront massacrés, dont une partie dans les chambres à gaz. Les nazis considéraient aussi les Slaves comme une « race inférieure ». Ils en ont tué des millions, Polonais et Russes en tête ; et ils avaient prévu d'en laisser mourir de faim des dizaines de millions d'autres. Sans parler des 100 000 malades mentaux et handicapés physiques assassinés en Allemagne même, entre 1939 et 1941. Il n'en reste pas moins que la destruction des Juifs d'Europe a été un but prioritaire pour les nazis, qu'ils l'ont poursuivi avec acharnement jusqu'à l'extrême fin de la guerre.

QUI A DÉCIDÉ LE MASSACRE ?

Les historiens en sont à présent convaincus dans leur majorité : Hitler a voulu et décidé l'extermination des Juifs ; il a personnellement veillé à ce que l'affaire aille à son terme. C'est lui qui a fait d'une obsession personnelle une affaire d'État, lui qui a mis les immenses moyens d'un État moderne au service de sa haine. « Sans Hitler, pas d'Holocauste », tel est le credo des spécialistes, même si l'on n'a retrouvé aucun ordre signé du Führer. Ce dernier point ne doit pas surprendre. Pour tout ce qui touche à l'extermination, les nazis ont gardé le secret. Ils utilisaient même un langage codé. Par exemple, « traitement spécial » signifiait « gazage ».

QUAND A ÉTÉ PRISE LA DÉCISION ?

Hitler avait décidé de tuer les Juifs dès 1918-1920, affirment l'historienne Lucy Dawidowicz et son collègue Daniel Goldhagen. Il n'aurait attendu que la guerre pour passer à l'acte. Ce point est âprement discuté par les spécialistes et, faute de documents, il ne sera peut-être jamais tranché. En revanche, la politique juive de l'Allemagne nazie, elle, a plusieurs fois changé. Résumons.

De 1933 à 1935, les nazis édictent des lois qui font des Juifs allemands des parias, des êtres vivant en marge de la société. En fait, il s'agit, en leur rendant la vie intenable, de les pousser à émigrer vers l'étranger.

En 1938, la violence monte d'un cran. Les nazis organisent la « Nuit de cristal » le 9 novembre. Dans toute l'Allemagne, 815 boutiques, 29 grands magasins, 171 appartements et 267 synagogues sont incendiés et détruits. Vingt mille hommes sont envoyés en camp de concentration, mais le cap est maintenu : faire partir les Juifs.

En septembre 1939, la Pologne est conquise. D'un coup, 3 millions de Juifs tombent dans les mains allemandes. Les nazis réfléchissent alors à divers projets : expulser tous ces Juifs dans l'île de Madagascar, à l'époque colonie française, ou dans la région de Nisko, en Pologne. En 1940, donc, les nazis semblent encore vouloir se débarrasser des Juifs, non pas les exterminer. Cependant, déjà, ils obligent les Juifs polonais à s'entasser dans des ghettos sordides où beaucoup meurent de privations.

Beaucoup d'historiens s'accordent pour dire que l'attaque contre l'Union soviétique, le 22 juin 1941, a scellé le sort des Juifs européens. Tout se précipite comme si, maintenant, il fallait en finir avant la fin de la guerre. Dès juillet, des centaines de milliers de Juifs soviétiques sont massacrés sur place. En octobre, les premiers camps d'extermination sont construits au moment où, en matière d'émigration, les nazis font brusquement volte-face : plus un Juif ne doit sortir d'Europe occupée. En décembre, les premiers gazages ont lieu à Chelmno. Enfin, ce même mois, les invitations partent pour une conférence secrète.

Cette conférence se tient le 20 janvier 1942 à Wannsee, dans la banlieue de Berlin. Heydrich, qui la préside, affirme avoir les pleins pouvoirs pour la préparation de la « solution finale ». Désormais, le seul fait d'être juif, où que ce soit en Europe, quel que soit l'âge ou le sexe, équivaut à une condamnation à mort. La conférence lance la plus grande chasse à l'homme de l'Histoire : repérer, ficher, exproprier, rassembler, déporter et tuer les Juifs vivant dans les pays placés dans l'orbite allemande.

Ci-contre, des Jeunesses hitlériennes placardent des affiches « entreprises juives ». Objectif : priver les Juifs allemands de tous moyens de subsistance.

Deux écoliers juifs allemands humiliés devant leurs camarades.

On ne sait pas vraiment pourquoi les nazis ont changé brutalement de politique entre l'été et l'automne de 1941. Certains historiens, comme Annette Vieworka, font remarquer qu'Hitler a peut-être voulu, dans son délire, éviter que ne se renouvelle l'échec de 1918. Car, à ses yeux, si l'Allemagne a perdu la Première Guerre mondiale, c'est qu'elle a été trahie par les Juifs et les communistes (pour Hitler ce sont les deux visages du même démon). Au moment où il entame un gigantesque combat contre l'URSS, peut-être Hitler a-t-il voulu s'assurer sur ses arrières : tuer les Juifs deviendrait donc un but de guerre en soi. Bien évidemment, l'armée allemande n'avait rien à craindre de ces civils désarmés, terrorisés, sous-alimentés…

Les circonstances ont servi les plans nazis. En 1942, l'Allemagne tient toute l'Europe, les Juifs ne peuvent plus fuir. L'état de guerre permet de les déporter et de les tuer avec le maximum de discrétion possible, en exigeant de tous les bourreaux – du sous-fifre au chef SS – une obéissance totale à des ordres insensés.

LES ALLEMANDS L'ONT-ILS VOULU ?

Dans un livre récent, Daniel Goldhagen défend la thèse suivante : ce n'est pas seulement Hitler mais l'Allemagne tout entière qui voulait éliminer les Juifs ; c'était son « projet national » depuis le XIXe siècle ; les Allemands ont été des « bourreaux volontaires » et empressés. Une thèse vivement rejetée par les pairs du jeune historien américain. Nombre d'études montrent, en effet, que les Allemands n'étaient pas plus antisémites que bien d'autres Européens ; ils ne se sont pas préoccupés de la « solution finale de la question juive » : c'était l'affaire des nazis, pas la leur. On estime aujourd'hui que « seulement » 100 000 Allemands (sur 80 millions) ont activement participé au génocide. La plupart ont d'ailleurs été des « criminels de bureau », organisant méthodiquement les déportations sans jamais voir leurs victimes. Mais presque tous les Allemands adultes, à des degrés divers, ont facilité la « solution finale » : du soldat de la Wehrmacht qui aide les SS aux employés des chemins de fer, en passant par les industriels qui s'installent à Auschwitz et tous ceux qui voyaient ou devinaient et qui se sont tus, par peur ou par indifférence.

Lublin (Pologne) vers 1940 : des SS (en noir) et des soldats de la Wehrmacht humilient des Juifs. Les historiens ont montré que, contrairement à une croyance répandue, l'armée allemande a largement participé au massacre des Juifs d'Europe orientale.

QUI A AIDÉ LES BOURREAUX ?

Les nazis n'auraient pu rafler et déporter autant de Juifs s'ils n'avaient reçu de l'aide dans les pays européens. Cette aide a pris de multiples formes. Des Baltes et des Ukrainiens ont participé directement aux massacres. Parmi les alliés de l'Allemagne, les gouvernements slovaque, croate, hongrois et roumain ne rechignèrent pas à fournir des moyens, organisant parfois leurs propres tueries. La police hollandaise aida aux rafles. En France, les Allemands n'auraient jamais réussi à déporter et tuer 75 000 Juifs sans l'aide de l'administration aux ordres de Vichy : ils n'avaient tout simplement pas assez d'hommes pour le faire. Partout, d'innombrables fonctionnaires ont prêté leur concours pour spolier, ficher, rassembler et transporter les Juifs.

D'autres pays ont agi différemment. Les Danois, les Italiens (officiellement alliés de l'Allemagne !) ont beaucoup fait pour sauver les Juifs. Dans tous les pays, des citoyens courageux, des prêtres, des pasteurs ont, au péril de leur vie et de celles de leurs proches, caché des Juifs. Mais, il faut bien le reconnaître : ces actes d'humanité se sont déroulés dans un océan d'indifférence. Le pape Pie XII lui-même n'a pas élevé la voix pour condamner solennellement les crimes dont il avait connaissance.

COMME DES MOUTONS À L'ABATTOIR ?

Peut-on exterminer tout un peuple sans qu'il se révolte ? Il y a bien eu quelques révoltes dans les camps d'extermination et dans les ghettos (à Varsovie, notamment, en 1943). Mais, au total, peu de chose. Comment l'expliquer ? D'abord, les populations juives déportées comprenaient une majorité de femmes, d'enfants et de vieillards sous-alimentés, physiquement affaiblis : comment auraient-ils pu s'en prendre à leurs gardes SS armés jusqu'aux dents ? Ensuite, les nazis se sont efforcés de dissimuler le sort final des déportés : fausses rumeurs optimistes, chambres à gaz maquillées en douches, etc. Toute une mise en scène s'efforçait de maintenir les victimes dans le doute, sinon dans l'ignorance, jusqu'au dernier moment. Enfin, les Juifs étaient seuls au monde, sans soutien, traqués par les Allemands et leurs alliés. « *Si on réfléchit bien,* constate Annette Wieviorka, *c'est plutôt que des Juifs aient pu résister qui peut sembler étonnant.* » Il faut bien comprendre que personne, avant la libération des camps en 1945, n'imaginait vraiment ce qui se passait. C'est pourquoi, par exemple, les Juifs de France ne rechignaient pas à se faire recenser. Ils considéraient la démarche comme un acte civique. Ainsi le philosophe Henri Bergson, prix Nobel et premier Juif élu à l'Académie française, s'est-il rendu au commissariat de police de son quartier pour faire sa déclaration.

Autriche, 1938 : des femmes juives tondues en public. Vexations et déportations ont eu lieu au vu et au su des populations.

En Bessarabie roumaine, des Juives sont battues par la population locale. Les Roumains ont, de leur propre chef, assassiné 100 000 Juifs.

Un convoi vient d'arriver sur la voie de garage d'Auschwitz-Birkenau. Une partie des femmes, les enfants, les vieillards, les infirmes (à gauche) sont aussitôt gazés. Une partie des hommes (à droite) survivront quelques mois pour « faire tourner » le camp ou travailler dans les usines de guerre proches.

POURQUOI LES ALLIÉS ONT-ILS LAISSÉ FAIRE ?

Anglais, Américains, Soviétiques n'ont pas aidé les Juifs à échapper à leur sort. Dans ses *Mémoires*, le philosophe Raymond Aron, qui se trouvait à Londres avec le général de Gaulle et qui était plutôt bien informé, donne une première explication à cette apathie : personne n'a semblé prendre vraiment conscience de l'étendue du massacre. « *Le génocide, qu'en savions-nous à Londres ? Au niveau de la conscience claire, ma conception était à peu près la suivante : les camps de concentration étaient cruels, dirigés par des gardes-chiourme recrutés non parmi les politiques mais parmi les criminels de droit commun ; la mortalité y était forte, mais les chambres à gaz, l'assassinat industriel d'êtres humains, non, je l'avoue, je ne les ai pas imaginés, et parce que je ne pouvais les imaginer, je ne les ai pas sus.* »

Winston Churchill et Franklin Roosevelt avaient été informés dès 1942 par le représentant du Congrès juif mondial à Genève, puis par des résistants polonais, de ce qui se passait dans les camps. Des résistants juifs leur ont demandé de bombarder les chambres à gaz et les fours crématoires d'Auschwitz. Ils ne l'ont pas fait ou, dans le cas de Churchill, leurs ordres n'ont pas été exécutés. Pourquoi, alors que l'aviation alliée a bombardé une usine de caoutchouc à 4 kilomètres de là ? La réponse est terrible : les militaires avaient d'autres priorités. Pour eux, l'essentiel était de gagner la guerre, au plus vite, et rien ne devait retarder cet objectif prioritaire. À l'heure de la victoire, les Juifs, eux aussi, seraient libérés. Mais, en mai 1945, c'était trop tard pour les deux tiers des Juifs d'Europe.

ETAT FRANCAIS
Ville de VICHY
ARRETE MUNICIPAL
RECENSEMENT des ISRAELITES

En France, le régime de Vichy donna un inestimable coup de main aux nazis en obligeant les Juifs à se faire recenser.

Quelques-uns des 4 500 survivants d'Auschwitz au moment de leur libération par les Soviétiques en janvier 1945. À son rendement maximum, ce camp tuait 12 000 personnes par jour.

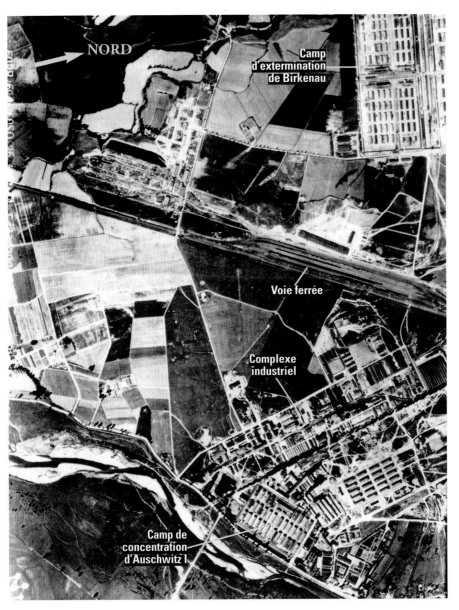

NORD

Camp d'extermination de Birkenau

Voie ferrée

Complexe industriel

Camp de concentration d'Auschwitz I

Au printemps 1944, les Alliés photographient en détail Auschwitz-Birkenau et bombardent à quatre reprises les usines proches. Jamais une bombe ne fut lancée contre les chambres à gaz, les voies ferrées ou les fours crématoires du camp d'extermination.

1939 : ces enfants juifs allemands seront sauvés, l'Angleterre venant de leur accorder un visa. Mais, en général, les Alliés n'ont guère favorisé l'accueil des persécutés. Leurs chefs semblent n'avoir pas vraiment compris les desseins d'Hitler, en dépit des informations précises en leur possession.

EN QUOI LE GÉNOCIDE DES JUIFS EST-IL UNIQUE ?

Jamais dans l'Histoire un tel crime n'a été commis, dit-on à propos du génocide des Juifs. Pourtant, l'Histoire n'est pas avare de crimes de masse. Pendant la Première Guerre mondiale, le gouvernement turc a fait liquider 1,5 million d'Arméniens, femmes et enfants compris. Dans les années trente, Staline a délibérément provoqué la mort de 10 millions de paysans. Pendant la Seconde Guerre mondiale, les Allemands ont assassiné dans les camps des millions de non-Juifs, résistants, homosexuels, Tziganes, Témoins de Jéhovah, prisonniers de guerre soviétiques. En quoi le destin des Juifs serait-il différent ? Parce que, pour la première fois, un État moderne a appliqué tous ses moyens, avec obstination, en vue de tuer TOUS les membres d'une communauté à l'échelle d'un continent entier. Aucun Juif ne devait en réchapper, tous étaient condamnés. Pour les nazis, le travail n'aurait pas été achevé, la victoire remportée, tant qu'un seul Juif restait en vie, fût-il un nouveau-né ou un grand vieillard.

VIVRE SOUS L'OCCUPATION

Dans la France vaincue, il faut bien continuer à vivre ou à survivre. Pénuries, souffrances et système D sont inséparables des années 1940-1944.
De cette époque, il nous reste quelques objets inoubliables.

Réquisitionné au profit de l'armée allemande, le cuir se faire rare. Les ateliers de femmes fabriquent des souliers dont la semelle est en bois. C'est bruyant et peu confortable.

LES CARTES D'ALIMENTATION

Dès septembre 1940, le rationnement est introduit par Vichy afin d'éviter que les plus riches n'accumulent des stocks, au détriment des plus pauvres. L'Allemagne pillant sans limites les ressources agricoles, les Français font la queue devant les magasins, interminablement, avec en poche les tickets de la carte d'alimentation. La population est triée en catégories, de E pour les enfants (moins de 3 ans) à V pour les vieillards (plus de 70 ans), en passant par les adolescents (voir ci-contre). Les Travailleurs de force (TF) sont jalousés pour le supplément auquel ils ont droit. Tout cela reste très insuffisant, même quand les commerçants sont approvisionnés. Les citadins sans argent ni relations à la campagne meurent littéralement de faim. Et ce ne sont pas les pseudo-recettes astucieuses publiées dans les livres et les magazines (par exemple : comment faire de l'huile avec du lichen…) qui vont leur caler l'estomac.

PAIN 50 g (par jour)

VIN 13 cl (4 litres par mois)

Ration quotidienne d'un adolescent (de 13 à 21 ans) en juillet 1943.

VIANDE 30 g (120 + 90 g par semaine)

CAFÉ Mélangé 150 g (par mois)

CHOCOLAT 8 g (250 g par mois)

BEURRE 7,5 g (225 g par mois)

FROMAGE 7 g (50 g par semaine)

SUCRE 3 g (1 kg par mois)

LES ŒUFS

Ils ne sont pas rationnés, mais il est bien difficile d'en trouver. Ci-contre, c'est le coquetier qui vaut le détour : on l'a taillé dans un éclat d'obus.

LA COMBINAISON EN PARACHUTE

Après la nourriture, le charbon, les chaussures, voilà que les vêtements sont rationnés (juillet 1941). La France grelotte l'hiver, dans des habits mal taillés, que l'on use jusqu'à la corde. Pour pallier les manques de laine et de coton, les industriels essaient tout : fibres artificielles, comme la rayonne ou la fibranne, mais aussi vêtements à base de fibres de bois, voire de cheveux ! Et quand l'occasion se présente, on recoupe les parachutes anglais en soie pour en faire d'exquises combinaisons…

40

L'ÉTOILE JAUNE

Grosse comme la paume d'une main, l'étoile jaune est imposée aux Juifs dans le Reich et les pays occupés. En juin 1942, les Allemands « marquent » les Juifs de la zone nord, mais Vichy refuse l'extension de cette mesure en zone sud. Le port de l'étoile rend la persécution antijuive visible au grand jour, ce qui déclenche un vaste mouvement de réprobation chez les Français. Si bien que les Allemands, même lorsqu'ils auront occupé toute la France en novembre 1942, n'imposeront pas l'étoile aux Juifs de l'ex-zone libre.

LE POSTE DE TSF

Grâce à la TSF (« télégraphie sans fil », on ne parle pas encore de « radio »), les Français se tiennent informés. C'est le grand média de l'époque – 5,5 millions de postes en 1939 –, sur lequel on reçoit aussi bien Radio-Paris, à la solde des Allemands, que les stations libres de la BBC, Radio-Brazzaville, Radio-Sottens (en Suisse), ou Radio-Moscou. Les journaux de la Résistance, diffusés sous le manteau, donnent les horaires et les fréquences de ces émissions, écoutées dans la plus grande discrétion. Afin d'éviter les dénonciations et les confiscations, certains postes sont même camouflés en objets ordinaires (ici, une boîte de bouillon Kub).

LA VOITURE À GAZOGÈNE

La France n'a plus une goutte d'essence, car les Allemands ont épuisé ses réserves. Quant aux importations, elles sont devenues impossibles, puisque les grandes compagnies pétrolières sont basées soit dans des pays occupés (Pays-Bas), soit dans des pays en guerre contre l'Allemagne (Grande-Bretagne, États-Unis). Il faut donc y renoncer… ou s'équiper d'un gazogène. Cette sorte de poêle brûle du bois ou du charbon de bois pour en extraire un gaz susceptible d'alimenter les moteurs à essence. Mais la mixture est peu détonante, et ces tacots lambinent.

LA CARTE INTERZONE

Dès août 1940, le Reich interrompt les échanges de courrier entre zone occupée et zone libre. Il faut attendre septembre pour qu'apparaisse une carte postale pré-imprimée sur laquelle on biffe les indications comme « légèrement, gravement malade, blessé, tué ». Vendues 0,90 F dans les bureaux de poste, elles mettent les Français en rage, avant qu'en 1941 la contrainte ne s'adoucisse. Deux ans plus tard, la correspondance libre est rétablie.

LE LAISSEZ-PASSER (OU AUSWEIS)

Indispensable pour franchir la ligne de démarcation, mais aussi, en zone nord, pour circuler le soir après le couvre-feu. Pour l'obtenir, il faut patienter dans les couloirs des mairies, qui transmettent les demandes aux autorités allemandes, et surtout avoir de solides motifs : déclarer un décès ou la grave maladie d'un proche pour passer la ligne (certificat médical à l'appui) ; être médecin, infirmière, cheminot ou ouvrier de nuit pour braver le couvre-feu. La Résistance va multiplier les faux laissez-passer indispensables à sa vie clandestine.

LA PELLE-CASQUE

Quand on n'a pas de métal, on a des idées. Les Français deviennent adeptes du système D (comme débrouille) – d'ailleurs, une revue de bricolage baptisée *Tout le système D* connaît un vif succès. Avant d'être une pelle, cet objet était un casque allemand…

LA CROIX GAMMÉE

Elle est partout, depuis les drapeaux jusqu'aux crosses des fusils ! De son vrai nom *swastika*, c'est un symbole de régénération utilisé notamment par les Aryens qui peuplaient l'Inde durant l'Antiquité. Dès 1920, Hitler, qui voit en eux le peuple pur dont descendent les Allemands, en fait le symbole du parti nazi. Dans *Mein Kampf*, il explique le choix du noir, rouge, blanc : ce sont les couleurs de l'ancien Empire allemand ; le rouge exprime les préoccupations sociales des nazis ; et le blanc, la défense de l'intérêt national.

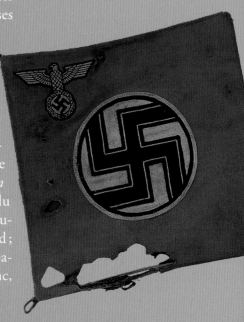

LE MASQUE À GAZ POUR BÉBÉ

Hantées par le souvenir de la Première Guerre et du « gaz moutarde » employé par les Allemands, les autorités françaises font fabriquer des masques en série pour protéger la population. Toute la population, y compris les bébés. Le grand savant Paul Langevin prédit même que 100 bombes de une tonne suffiraient à exterminer les Parisiens. Finalement, l'Allemagne y renoncera. La guerre des gaz n'a pas eu lieu.

LE BROC DANS UN ÉTUI DE MASQUE À GAZ

Autre réussite de la « récup' » et du recyclage : ce broc, fabriqué à partir d'un étui de masque à gaz allemand.

LE RETOUR DE LA BICYCLETTE

La pénurie de carburant contraint les Français à se remettre en selle. Début 1942, on compte 10 millions de vélos, soit un pour quatre habitants. De ce fait, les prix grimpent. Il faut débourser 2 000 F (l'équivalent de 460 € aujourd'hui) pour une simple bicyclette d'occasion fin 42, voire le triple au marché noir ! En ville, les mollets d'acier se font même vélo-taxi pour conduire leurs compatriotes. Peu d'entre eux sont des professionnels ; la plupart arrondissent de cette manière leurs fins de mois après une journée de travail.

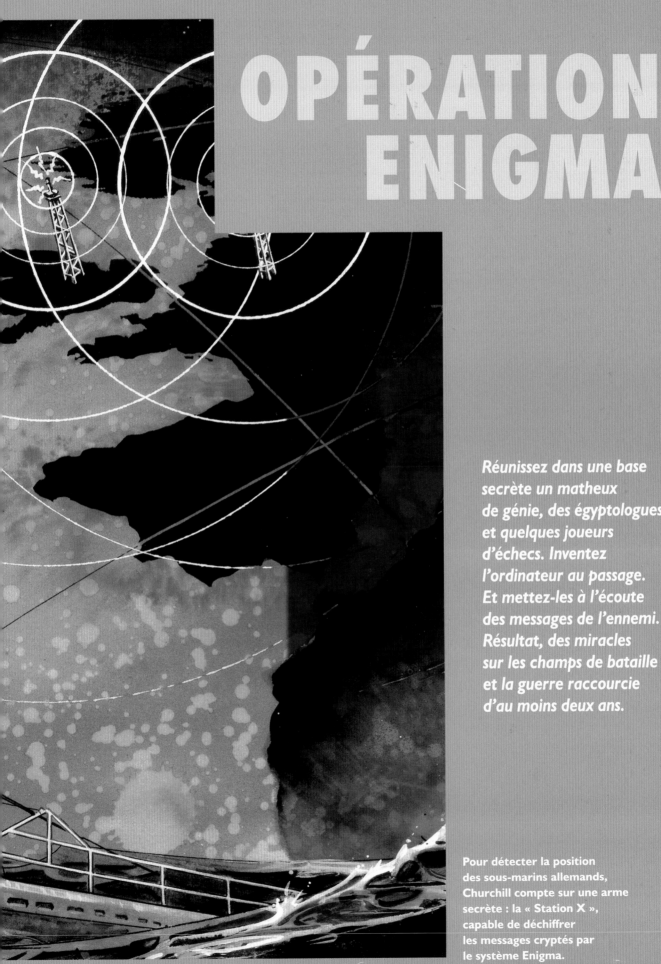

OPÉRATION ENIGMA

Réunissez dans une base secrète un matheux de génie, des égyptologues et quelques joueurs d'échecs. Inventez l'ordinateur au passage. Et mettez-les à l'écoute des messages de l'ennemi. Résultat, des miracles sur les champs de bataille et la guerre raccourcie d'au moins deux ans.

Pour détecter la position des sous-marins allemands, Churchill compte sur une arme secrète : la « Station X », capable de déchiffrer les messages cryptés par le système Enigma.

Depuis le début de l'été 1941, l'amiral Dönitz est perplexe. Il y a seulement quelques semaines ses sous-marins décimaient les convois anglais à raison de 280 000 tonnes de navires coulés par mois. À ce rythme, l'Angleterre ne pouvait plus tenir longtemps. Mais voilà que depuis le mois de juin, soudainement, la performance des U-Boote s'est effondrée. Entre juin et décembre, Dönitz aura beau augmenter le nombre de sous-marins en patrouille, ils ne couleront plus que 120 000 tonnes par mois en moyenne, 60 % de moins qu'en début d'année. Et ce n'est pas parce que les convois alliés ne se risquent plus en mer. Au contraire, le trafic est plus dense que jamais. Dönitz soupçonne plutôt les Alliés d'avoir mis au point une arme secrète... un nouveau type de radar peut-être ?

Si l'Angleterre a gagné la première manche de la bataille de l'Atlantique, c'est en effet grâce à une arme secrète. Si secrète, même, que Churchill, dans son histoire en six volumes de la Seconde Guerre mondiale, ne la mentionne pas une seule fois et que les historiens n'en apprirent l'existence que trente ans plus tard. Mais ce n'était pas un radar. Pour les nazis, c'était bien pire que cela.

La Wehrmacht utilisait Enigma pour coder toutes ses communications importantes. Ici, en Yougoslavie.

La machine Enigma transforme chaque lettre d'un message en une autre lettre. Par exemple, si l'émetteur tape « VOICIUN-MESSAGE », cela peut donner « HKSUTYEQNL-WXIO ». Mais la méthode de chiffrement n'est pas fixée une fois pour toutes. Elle dépend de la configuration de départ choisie par l'opérateur parmi 158 milliards de milliards de possibilités. Pour déchiffrer, il suffit au récepteur de configurer son Enigma exactement comme celle de l'émetteur : alors s'il tape le message chiffré, la machine produit le message déchiffré. Pour qu'il n'y ait pas de confusion, les opérateurs étaient équipés d'un « livret des codes » qui spécifiait comment configurer leur Enigma chaque jour de chaque mois. Ces livrets changeaient souvent, et les Anglais ne pouvaient pas compter sur leur capture. En revanche, ils pouvaient compter sur les erreurs des opérateurs allemands. Par exemple, certains envoyaient à des heures précises des mes-sages qui commençaient toujours pareil : « ICI LA STATION METEO DE BREST. SITUATION A 0800... » Ceci constituait ce que les Anglais appelaient un « mot probable ». En devinant ainsi un bout du message chiffré, ils pouvaient déduire partiellement la configuration utilisée par l'opérateur. Le mot le plus probable de la langue allemande est « EINS ». Les Anglais avaient compilé à la main les 105 000 chiffrements possibles de ce mot, et s'en servaient pour chercher dans les messages des groupes de quatre lettres correspondants... En 1941, le mathématicien Alan Turing mit au point une machine électromécanique, la Bombe, pour automatiser la recherche des codes : dès lors, les configurations Enigma qui entraient en vigueur à minuit étaient décelées « avant le petit déjeuner » et tous les messages de la journée pouvaient être déchiffrés dès leur interception.

Dans cette mallette, se cache la fameuse machine allemande Enigma.

Sans qu'ils s'en doutent, les Anglais avaient monté une opération de renseignement incroyablement sophistiquée capable de déchiffrer toutes leurs communications militaires, pourtant protégées par des codes réputés inviolables. C'est ainsi que, entre autres, toutes les communications radio de Dönitz avec ses U-Boote, et entre U-Boote, étaient interceptées et déchiffrées, en quelques minutes seulement, par la « Station X », une base secrète au nord de Londres. À partir de juin 1941, les Alliés savaient toujours à peu près où étaient les différents groupes de sous-marins ennemis. Les contourner était devenu facile.

LE COUP DE GÉNIE DE CHURCHILL

La Station X fut un coup de génie de Churchill qui cherchait désespérément une faille dans l'armure nazie. Pour coordonner la *Blitzkrieg* (la guerre éclair), toutes les communications de la Wehrmacht (armée de terre), de la Luftwaffe (armée de l'air) et de la Kriegsmarine (marine de guerre) devaient s'effectuer à la vitesse de la lumière, par radio, ce qui présentait un inconvénient : n'importe qui pouvait les intercepter. Pour y parer, toutes les unités de combat allemandes étaient équipées d'une mallette appelée « Enigma » : une sorte de machine à écrire électromécanique qui leur permettait de chiffrer et déchiffrer leurs communications.

Churchill y vit sa chance. S'il pouvait réussir à percer les secrets du système Enigma, il deviendrait capable de connaître à l'avance chaque mouvement de l'adversaire, ce qui lui procurerait un avantage décisif. Il décida de mettre les meilleurs cerveaux du pays sur le coup…

Pour les réunir facilement, la Station X fut installée à mi-chemin entre les universités de Cambridge et d'Oxford, dans le parc de la bourgade de Bletchley. Entre 1939 et 1945, le gouvernement y recruta les meilleurs étudiants autour des plus brillants mathématiciens (dont le légendaire Alan Turing, père de l'intelligence artificielle), les latinistes les plus érudits, les égyptologues les plus méticuleux, sans oublier les champions d'échecs et de mots croisés… ainsi que nombre de jeunes filles de bonne famille du royaume (à proportion d'environ six filles pour un garçon) : un mélange détonant d'intelligence, d'érudition et d'excentricité.

À son apogée, la Station X employait 8 000 personnes à réceptionner les messages interceptés sur les ondes dans toute l'Europe, à les classifier, les déchiffrer, les traduire et les synthétiser pour l'état-major allié. Trois équipes se relayaient toutes les huit heures dans cette usine pas comme les autres, dont le rendement atteignit, juste avant le débarquement de juin 1944, près de 40 000 messages déchiffrés par mois !

L'intelligentsia anglaise réunie face à l'énigme allemande.

Alan Turing, théoricien des ordinateurs, a mis son génie mathématique au service de la Station X. Il était si distrait qu'il lui arrivait de déambuler en pyjama au milieu de *gentlemen* très distingués.

Une des rares photos prises à Bletchley Park. Une armée de femmes traduisent et tapent les communications radio de l'armée allemande tout fraîchement décryptées.

Colossus, le premier ordinateur

Constitué de deux armoires de 6 m de long et 2,5 m de haut chacune, Colossus hébergeait 2 500 tubes électroniques. Grâce à un élégant système de poulies, le message chiffré, inscrit sur un ruban perforé, défilait à la vitesse de 5 000 caractères par seconde devant un lecteur optique. Au contraire de nos ordinateurs personnels d'aujourd'hui, Colossus n'avait pas de mémoire à long terme (disque dur), ni de processeur central. Il était lui-même un processeur géant à architecture parallèle, avec une mémoire vive de seulement 25 bits. Le logiciel, à l'époque, n'était pas dissociable du matériel : pour modifier le programme du Colossus, il fallait débrancher, puis rebrancher différemment les câbles d'un tableau de connexions. Mais les programmeurs pouvaient quand même faire appel à une instruction conditionnelle, l'ancêtre du « If… Then… Else… » ("Si… Alors… Sinon…") de nos langages informatiques courants. Selon son concepteur, Tommy Flowers, mort en 1998, le Colossus avait bien l'air d'avoir été assemblé avec « *des bouts de ficelle et de la colle* », mais il était quand même si fiable qu'il pouvait exécuter jusqu'à 100 milliards d'opérations logiques avant qu'un circuit défaillant n'introduise une erreur.

NOM DE CODE : « ULTRA »

Les renseignements ainsi volés aux Allemands avaient pour nom de code collectif « Ultra ». À différents degrés, mais sans interruption du début à la fin de la guerre, Ultra a fourni au haut commandement allié un aperçu quotidien et détaillé non seulement des positions et activités de la plupart des unités allemandes, mais aussi du moral des troupes et du temps qu'il faisait à chaque endroit, pratiquement comme s'il y était. Pourtant, la confiance des Allemands en leur système de chiffrement était si forte qu'à aucun moment ils n'ont envisagé qu'il avait pu être violé.

L'historien sir Harry Hinsley, qui, tout juste sorti de Cambridge après des études d'histoire médiévale, fut l'une des premières recrues de la Station X, a un avis autorisé sur l'efficacité d'Ultra : « *Ultra nous a permis de gagner plus vite la guerre en Europe : au moins deux ans plus vite, sinon quatre.* » Pour lui, l'arme secrète de Churchill a surtout fait la différence dans quatre batailles cruciales.

Il y a d'abord eu, comme on l'a vu, la première défaite des U-Boote dans l'Atlantique Nord en 1941. Hinsley estime qu'au moins 350 navires et plus d'un million et demi de tonnes de ravitaillement ont ainsi été épargnés par le « cassage » du code allemand.

« *Mais cette première victoire fut moins décisive que la deuxième, qui vit la défaite finale des U-Boote en 1943* », explique Harry Hinsley. En effet, au début de l'année 1942, les U-Boote reviennent en force dans l'Atlantique Nord avec un nouveau système de chiffrement Enigma, 26 fois plus compliqué que le précédent. D'un seul coup, leurs communications deviennent indéchiffrables et les sous-marins sont à nouveau invisibles… Pendant neuf mois, les Alliés voient leurs navires se faire couler en nombre record, alors que la Station X s'escrime en vain contre le nouveau code.

LE PREMIER ORDINATEUR ÉLECTRONIQUE PROGRAMMABLE

Ce n'est qu'en octobre que la chance sourira de nouveau, quand un navire britannique force le U-559 à faire surface. Immédiatement, trois jeunes marins plongent dans la carcasse pour récupérer la machine Enigma et ses feuilles de codes. Deux d'entre eux, piégés par l'épave, couleront avec. Mais le troisième aura rapporté suffisamment d'indices pour que, deux mois plus tard, la Station X puisse encore localiser les U-Boote. Pendant toute l'année 1943, les Alliés les chasseront sans relâche, avec une précision qui paraîtra à Dönitz tout à fait étonnante… Défaits, les U-Boote quitteront l'Atlantique en mai. La route est enfin dégagée pour amener d'Amérique les hommes et les armes qui serviront au débarquement en Normandie.

Quelques mois auparavant, en Afrique du Nord, Rommel est bloqué dans son avance sur Le Caire. Son adversaire, Montgomery, semble deviner à l'avance tous ses mouvements. Sans qu'il s'en doute, il arrive même que, quand Enigma est coincée par le sable et qu'il perd quelques minutes à la faire réparer, les ordres qui lui sont envoyés de Berlin se retrouvent plus vite dans les mains de son adversaire, via la Station X, que dans les siennes ! Simultanément, Ultra guide aussi les sous-marins alliés en Méditerranée pour décimer les convois allemands et italiens qui tentent de le ravitailler. À peine un bateau sur deux arrive à passer... Fin 1942, à El-Alamein, manquant d'essence, Rommel devra abandonner ses chars dans le désert et rendre l'Afrique du Nord aux Alliés.

Ultra contribua aussi à la plus grande bataille de toute la guerre : celle du débarquement en Normandie. Pour l'occasion, la Station X s'était attaquée à un code d'un genre nouveau, 100 millions de milliards de fois plus complexe que celui de l'Enigma, conçu spécialement pour chiffrer les communications stratégiques entre Hitler et ses généraux. Pour vaincre ce monstre fut inventé tout simplement Colossus, le premier ordinateur électronique programmable... Résultat, entre janvier et juin 1944, la Station X livrait à Montgomery et Eisenhower tout ce qu'ils voulaient savoir sur la stratégie allemande, au rythme de plusieurs dizaines de milliers de messages par mois.

UNE VÉRITABLE ENCYCLOPÉDIE !

Ces messages révélaient que, si les Allemands se préparaient à un débarquement en mai-juin 1944, ils ne savaient pas exactement où l'attendre : quelque part entre Calais et Cherbourg... Jouant sur cette incertitude, les Alliés prirent des mesures d'intoxication à grande échelle (dites « opération *Fortitude Sud* »). Objectif : persuader Hitler que le Débarquement se ferait au nord, dans le Pas-de-Calais. À cet effet, les Alliés simulèrent le stationnement de deux armées fantômes face au Pas-de-Calais, construisirent de fausses bases aériennes peuplées d'avions postiches, entretinrent un faux trafic radio, firent envoyer à Berlin, par leurs agents doubles, quantité de faux messages... L'opération fut réussie : 5 bonnes divisions allemandes restèrent six semaines l'arme au pied, loin des plages de Normandie.

« *Il est tout à fait remarquable*, s'étonne encore Harry Hinsley, *qu'avant même de traverser la Manche, les Alliés aient pu connaître, à une ou deux exceptions près, l'identité et la position de chacune des 58 divisions allemandes qui les attendaient.* » L'une de ces exceptions, la présence de la division d'infanterie 352 à Omaha Beach (la plage du film *Il faut sauver le soldat Ryan*), est un bon indicateur, selon Hinsley, du carnage qu'aurait pu être le jour J en l'absence des renseignements fournis par la Station X. « *Jamais, dans l'Histoire, il n'y a eu une opération militaire dans laquelle l'attaquant était aussi bien renseigné sur son adversaire. C'était une véritable encyclopédie !* »

L'un des derniers messages à être déchiffrés par la Station X arriva une nuit d'avril 1945 : « *Q.G. marine à tous.* Opération Valkyrie. *Réservé aux officiers (...). Le Führer Adolf Hitler est mort.* » Moins de un an plus tard, la Station X fut démantelée en silence, sur ordre personnel de Churchill, et ses milliers d'opérateurs renvoyés chez eux, sommés de garder le silence pour toujours. Personne ne devait savoir comment l'Angleterre avait gagné la guerre du renseignement... au cas où la prouesse serait à renouveler !

Un U-Boot capturé pris en remorque par un navire américain. À plusieurs reprises, les Alliés ont ainsi eu la chance de s'emparer de machines Enigma de la Kriegsmarine et des livres de codes permettant de s'en servir.

Des chars et des camions en caoutchouc gonflable pour leurrer les Allemands : le décryptage des messages Enigma a permis aux Alliés de réussir l'opération *Fortitude* au-delà de toute espérance.

ECOLE ST. JOSEPH
WENDOVER, ONTARIO

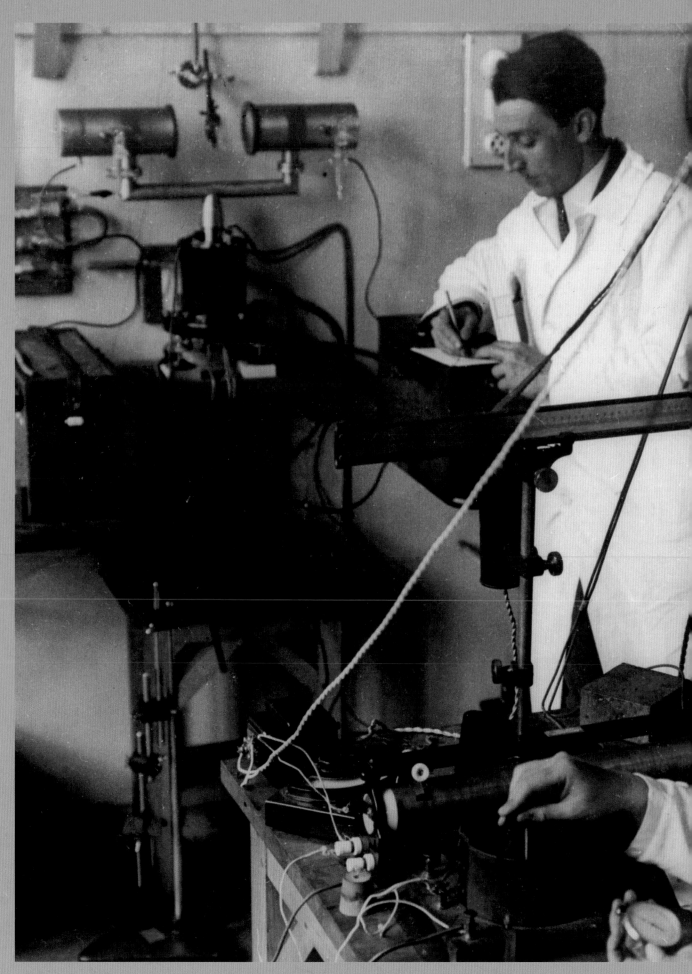

LES SAVANTS MOBILISÉS

Pour la première fois dans une guerre, la science a été complètement mobilisée. Pour la première fois, dirigeants et militaires ont cru qu'une invention pourrait leur donner la victoire. Radars, fusées, avions à réaction, bombe A, la revue des percées technologiques.

Les deux physiciens français Frédéric et Irène Joliot-Curie. En 1939, la France était en tête dans la recherche nucléaire.

À Oak Ridge, dans le Tennessee, de gigantesques installations employant 100 000 personnes préparent l'uranium pour la bombe atomique. Telle est la triple casquette de la science en guerre : armée-recherche-industrie.

Aux yeux avertis des chercheurs, des ingénieurs et des généraux, l'« art de la guerre » en 1945 n'a plus grand-chose à voir avec celui de 1939. Entre ces deux dates, Allemands et Anglo-Saxons se sont livrés un formidable duel par laboratoires interposés. Résultat : des engins de guerre radicalement nouveaux. La palette est impressionnante. En 1945, les radars « voient » à 600 km de distance ; les fusées V2 sortent de l'atmosphère avant de retomber sur leur cible à 5 000 km/h ; les avions à réaction et leurs ailes en V frôlent le mur du son ; la bombe atomique est là, la pénicilline fait leur fête aux microbes et les premiers ordinateurs crachent leurs cartes perforées…

Mais c'est déjà le monde moderne ! s'exclamera-t-on en réfléchissant aux retombées de ces trouvailles. La conquête de l'espace, la grande vitesse aéronautique, le nucléaire, l'informatique, les antibiotiques seraient-ils nés de la guerre ? Si oui, ce conflit affreux aura accouché d'une révolution technologique et médicale sans précédent.

Sans jamais oublier le coût (humain, économique et moral) épouvantable de ces nouveautés, laissons la parole aux spécialistes. *« Révolution technologique ? Méfions-nous de ce terme,* tempère Philippe Masson, historien au Service historique de la marine. *Certes, les radars, les fusées, les avions à réaction ont fait des pas de géant pendant la guerre. Mais ces technologies étaient déjà là à la veille du conflit, fruit des recherches intensives des années 20 et 30. »* La révolution se trouverait-elle du côté de la bombe atomique ? *« En 1939, les connaissances fondamentales sont acquises,* explique Gilles Cohen Tannoudji, conseiller scientifique au CEA. *Et on sait que la bombe est possible. Encore fallait-il la fabriquer, bien sûr. »* Alors, si tout ou presque était là en 1939, quel rôle a joué la guerre ?

« Celui d'un fantastique accélérateur des recherches », reprend Philippe Masson. Les premiers radars, par exemple, sont des engins capricieux juchés sur des tours de 100 m de haut, peu précis et portant à 120 km ; ils ne servent qu'à détecter l'arrivée d'avions ennemis. En 1945, ils portent à 600 km et localisent l'ennemi au mètre près. Ils sont devenus fiables et de petite taille, embarqués sur avions et navires, aptes à une multitude de missions : détection bien sûr mais aussi bombardement de précision, conduite de tir, radionavigation, altimétrie. L'industrie américaine en fabriquera un million, d'une valeur de 3 milliards de dollars, entraînant l'industrie électronique dans une cascade de progrès. Voilà l'effet d'accélération du conflit.

Le port artificiel d'Arromanches en Normandie en juin 1944. La construction, le remorquage et l'assemblage de ce port, ainsi que les millions de tonnes de matériel qui l'emprunteront, représentent le plus gros effort de logistique jamais réalisé.

LE PROJET *MANHATTAN*

Dans le nucléaire, même course contre la montre. Les États-Unis, inquiets d'une possible fabrication de la bombe par l'Allemagne, se lancent dans le gigantesque projet *Manhattan*. « *Le secret de la réussite américaine ?* s'interroge Gilles Cohen Tannoudji. *Un : la plus brillante concentration de physiciens de l'Histoire.* » Dans la ville secrète de Los Alamos, il y a eu jusqu'à vingt prix Nobel ou futurs prix Nobel, sans parler des 140 000 personnes travaillant sur le projet ! « *Deux : une volonté politique sans failles.* » L'état des recherches était directement communiqué au président Roosevelt qui décida à cette occasion d'une nouveauté : s'adjoindre des conseillers scientifiques. « *Trois : une pluie de 2 milliards de dollars, soit 110 milliards de francs d'aujourd'hui.* » La réalisation de la bombe aurait pris dix, voire vingt ans en temps de paix. Seulement trois ans et demi séparent le début de *Manhattan* de l'explosion de la première bombe ! Même débauche de moyens dans les recherches sur le radar : le Radiation Laboratory, à Cambridge (Massachussets), employait à lui seul 5 000 physiciens et ingénieurs !

Mais tous les domaines scientifiques et techniques n'en ont pas profité. « *C'est en partie le cas de la médecine,* relève Bernardino Fantini, historien à l'institut Louis Jantet de Genève. *La guerre a développé trois secteurs : la médecine d'urgence, les antibiotiques et les insecticides pour éradiquer le paludisme. Toutes les autres disciplines, dont les militaires n'ont pas besoin, ont été, elles, très ralenties.* » Des exemples de blocage ? Linus C. Pauling abandonne ses recherches sur l'application de la mécanique quantique à la chimie. Tout simplement parce qu'il est réquisitionné par l'armée pour travailler sur les maladies infectieuses. Il ne reprendra ses travaux, qui mènent à la découverte de la structure des molécules (et au prix Nobel de chimie en 1954), qu'après la guerre. Les Italiens Silvestroni et Bianco, l'Américain Neel et le Grec Caminopetros ont chacun de leur côté découvert durant la guerre les bases génétiques de certaines maladies. Hélas ! il n'en est rien sorti, car chacun est resté isolé dans son coin, incapable de communiquer ses découvertes à ses collègues, seule façon d'avancer.

DES « USINES À SCIENCE »

On pourrait également évoquer d'autres freins dus à la guerre, par exemple le secret farouchement gardé par les militaires sur les découvertes. Les Britanniques ont inventé en 1943 le premier ordinateur programmable : mais personne n'en a rien su avant 1975 ! En outre ce qui ne semble pas avoir de retombées militaires est carrément oublié. Il en est ainsi de la télévision, au point dès 1936. Son développement a été cassé net par le conflit. Les belligérants avaient d'autres priorités que de fabriquer des téléviseurs et de développer le réseau hertzien.

Et si la révolution technologique n'était pas… dans la technologie ? « *Elle est peut-être dans l'art de l'organisation,* remarque Jean-François Picard, chercheur à l'Institut historique du temps présent (IHTP). *La force des États-Unis n'a pas résidé seulement dans leur capacité à fabriquer des millions d'armes. Ils ont aussi littéralement inventé la logistique moderne : comment acheminer des masses de matériel à temps partout sur la planète.* » Le débarquement en

Normandie fournit l'exemple le plus extraordinaire d'une gestion impliquant des centaines de milliers d'hommes, de véhicules, de navires, d'avions, des millions de tonnes d'approvisionnements, des flux de carburant, des milliers de dépôts, d'ateliers, d'hôpitaux… Une vraie usine à gaz! Les pays riches ont peut-être ainsi appris à gérer d'énormes projets technologiques à haut risque.

« *Cette organisation à l'américaine concerne aussi la science,* précise Brigitte Schroeder-Gudehus, de l'université de Montréal. *Le projet* Manhattan *en est le plus bel exemple. C'est lui qui a servi de modèle à la recherche d'après-guerre. Finie la distinction entre recherche fondamentale et recherche appliquée. Pour arriver à un résultat, on embauchera désormais des cerveaux, on achètera des équipements lourds, on investira des sommes folles et toute une bureaucratie sera chargée de gérer ces "usines à science".* »

C'est la définition même de ce que les Américains appellent la « *big science* », la science lourde. Les accélérateurs de particules en sont encore aujourd'hui un bel exemple, le projet *Apollo* dans les années 1960 en est un autre. « *Terminée l'époque des bricoleurs en atelier!* observe Jean-François Picard. *La guerre a prouvé aux gouvernements qu'il leur incombait d'organiser la science au sein de grands organismes nationaux.* » Ainsi en France, le Centre national de la recherche scientifique (CNRS) naît en 1939, le Commissariat à l'énergie atomique (CEA) en 1945.

DES ALLURES DE DOCTEUR FRANKENSTEIN

Autre conséquence de taille: les képis s'intéressent de très près aux labos. « *La Seconde Guerre mondiale et la bombe atomique persuadent les militaires qu'il est dans leur intérêt de financer la recherche, même fondamentale* », fait remarquer Philippe Masson. La guerre de Sécession (1861-1865) fut le premier conflit moderne, en ce qu'il s'est accompagné d'un essor technologique (amélioration de l'artillerie, utilisation de cuirassés et des premiers sous-marins, mise au point de la mitrailleuse). 1914-1918 confirme, notamment avec le progrès des chars, de l'aviation et de la chimie. Mais, au lendemain de ces deux conflits, l'effort d'innovation est retombé. « *Après 39-45, tout change. Les militaires continuent à donner énormément d'argent à la science et ce, en temps de paix.* » D'après Brigitte Schroeder-Gudehus « *en 1949, au sein des universités américaines, 96 % des fonds dépensés pour la recherche scientifique provenaient du département de la Défense ou de la Commission de l'énergie atomique!* »

Quel chemin parcouru quand on pense que, avant-guerre, l'État fédéral américain ne finançait quasiment pas les recherches universitaires. Celles-ci ne comptaient que sur les entreprises privées et quelques mécènes.

Alors, les savants ont-ils gagné la guerre? « *Plutôt le sacrifice des hommes et… la physique couronnée reine des sciences* », répond Alain Beltran. Mais la science et les savants n'ont pas tout gagné à se mettre massivement au service de la guerre. Aux yeux du public, leur image en a même pris un sale coup. L'idée du savant bienfaiteur s'éloigne. Pasteur, par exemple, avec sa barbiche, ses bésicles, ses vieux microscopes, rassurait: avec lui, la science veillait sur le destin de l'humanité, entretenant la flamme du progrès. Après Hiroshima, le scientifique prend des allures de docteur Frankenstein. Le genre humain conçoit avec effroi que la science et la technique peuvent aussi amener les pires malheurs, voire la disparition pure et simple de l'espèce.

Le calculateur ENIAC, mis au point en novembre 1945, a servi à la fabrication des bombes atomiques. Un monstre de 30 tonnes, à la mémoire d'oiseau, considéré comme un des premiers ordinateurs.

ACHTUNG JETS !

Le Messerschmitt 262, premier chasseur à réaction opérationnel, aurait-il pu changer le cours de la guerre? Sans doute pas, même si Hitler n'avait pas tergiversé.

Le Messerschmitt était un avion révolutionnaire, mais pas vraiment au point. Il était très difficile à piloter et ses moteurs tombaient souvent en panne.

Août 1939 : l'Allemagne fait voler le premier avion à réaction, le Heinkel 178. Les dirigeants nazis, qui croient à une guerre courte, mettent pourtant au placard cette arme fabuleuse.

18 juillet 1942 : premier vol du Messerschmitt 262. L'appareil dépasse les 850 km/h, soit 200 de mieux que les meilleurs avions à hélices. Son secret : deux moteurs Jumo 004 de 900 kg de poussée. Une merveille de modernité, notamment la turbine, qui utilise les premières céramiques pour résister à la chaleur.

1943 : Hitler donne son accord pour produire en masse le Me 262, mais insiste pour le transformer en bombardier. Mission impossible, 6 mois perdus.

Septembre 1944 : la première escadrille de Me 262 est opérationnelle. Trop tard. Trop peu nombreux (1 500 seront fabriqués, mais seulement 300 voleront), handicapés par la pénurie de carburant et le manque de pilotes expérimentés, les avions à réaction surclassent leurs adversaires à hélices, mais ne renversent pas le cours de la guerre.

Hélice ou réacteur

Pour obtenir la poussée qui le fait avancer, un avion doit éjecter de l'air derrière lui à la plus grande vitesse possible. L'hélice (actionnée par un classique moteur à explosion) accélère **PEU** un **GRAND** volume d'air. Le turboréacteur, lui, accélère **BEAUCOUP** un **PETIT** volume d'air. Autre avantage : à poids égal, il est beaucoup plus puissant qu'un moteur à explosion.

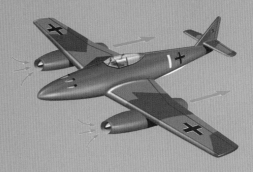

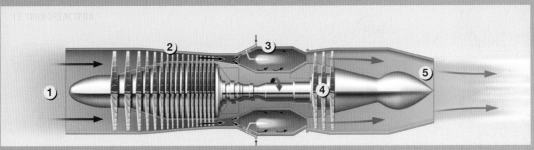

1 L'air froid entre par l'avant du turboréacteur.

2 Un compresseur élève sa pression.

3 L'air sous pression est brûlé avec un combustible (kérosène par exemple) dans une chambre de combustion. Sa température s'élève brutalement.

4 Bourré d'énergie, l'air entraîne une turbine (analogue à un moulin à ailettes) qui fait tourner le compresseur situé à l'avant.

5 Dans la tuyère, l'air se détend. Entendez qu'il troque sa forte pression contre une vitesse élevée. Cette vitesse d'éjection fournit, par réaction, la poussée qui propulse l'avion vers l'avant.

LE RADAR, ARME DE LA VICTOIRE

Pour l'historien Philippe Masson, « *le radar est l'arme qui a le plus contribué à la victoire des Alliés en lui permettant d'acquérir la supériorité aérienne et maritime.* »

Un radar de poursuite allemand sur le nez d'un chasseur de nuit Ju-88.

À bord d'un porte-avions américain, le radar détecte avions et navires japonais ; un opérateur reporte leurs positions sur un écran.

Un gigantesque pylône porte un des premiers radars installés sur la côte est de l'Angleterre.

Dans les années 1930, toutes les grandes puissances travaillent en secret sur le radar. Allemands et Britanniques sont les plus avancés.

Les premiers disposent de deux appareils remarquables, le Freya (ondes de 2,4 m) et surtout le Würzburg, radar de DCA émettant sur 53 cm, indiquant la direction, la distance et même l'altitude. Les Britanniques ont, de leur côté, développé un matériel moins sophistiqué, notamment grâce au physicien Robert Watson-Watt. Mais, à la différence des Allemands, ils l'ont intégré à une organisation qui va leur permettre de gagner la « bataille d'Angleterre ».

En 1939, les Britanniques disposent sur leurs côtes sud et est d'une chaîne de 20 stations radar. La longueur d'onde utilisée est d'environ 12 m et la portée de 150 km. Les informations sont aussitôt transmises au quartier général de la RAF, lui-même en liaison permanente avec les escadrilles de chasseurs. Dès que les appareils allemands sont signalés, les contrôleurs britanniques dirigent leurs avions vers le point d'interception. *Nec plus ultra* pour l'époque, une boîte électronique embarquée sur les chasseurs envoie un message. Les Alliés différencient ainsi avions « amis » et « ennemis ».

En 1940, deux physiciens britanniques, Henry A. Boot et John T. Randall, inventent un tube électronique, le magnétron à cavité, qui a deux caractéristiques : il émet des micro-ondes de 10 cm avec une puissance de 10 000 watts. Résultat : il « voit » plus loin, des cibles plus petites et, surtout, il peut être miniaturisé et donc embarqué sur avions et navires. Avec le magnétron, les Alliés prennent deux ans d'avance sur les Allemands. Il est une des causes de la défaite des U-Boote dans la bataille de l'Atlantique.

Le radar équipé du magnétron jouera un rôle très important dans les bombardements stratégiques sur l'Allemagne, notamment le H2S, radar de suivi de terrain. Les Allemands mettent tous leurs spécialistes sur la brèche. En 1944, ils ont rattrapé leur retard sur les Alliés en fournissant des radars de poursuite pour la DCA et la chasse de nuit (2,5 cm, portée 600 km). Mais leur industrie électronique ne suit pas, matraquée jour et nuit par les bombardiers alliés.

Dans le Pacifique, les Américains ont eu un avantage écrasant sur les Japonais. Ces derniers n'ont que des radars primitifs alors que les Américains bénéficient de toutes les découvertes britanniques dès 1940.

6 Les savants mobilisés

Le principe du radar

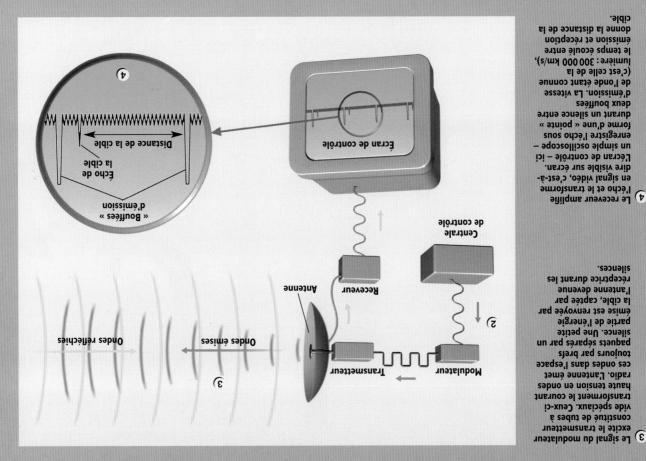

① Une antenne radar émet de puissantes bouffées d'énergie sous forme d'ondes électromagnétiques (de longueurs comprises entre 1 m et 1 cm). À la différence d'une émission radio qui part tous azimuts, l'émission radar prend la forme d'un « pinceau » pointé dans une direction précise. Quand les ondes atteignent l'avion ennemi, elles « rebondissent » et retournent vers l'antenne (devenue réceptrice), signalant ainsi la présence d'un intrus.

② Voyons du côté de l'électronique, à l'intérieur de la station. Au départ, la centrale de contrôle envoie une impulsion électrique à basse tension au modulateur. Celui-ci la transforme en un signal à haute tension soigneusement découpé en brèves « pulsations » carrées de 1 millionième de seconde, séparées par une « longue » période de silence de 4 millièmes de seconde.

③ Le signal du modulateur excite le transmetteur constitué de tubes à vide spéciaux. Ceux-ci transforment le courant haute tension en ondes radio. L'antenne émet ces ondes dans l'espace toujours par brefs paquets séparés par un silence. Une petite partie de l'énergie émise est renvoyée par la cible, captée par l'antenne devenue réceptrice durant les silences.

④ Le receveur amplifie l'écho et le transforme en signal vidéo, c'est-à-dire visible sur écran. L'écran de contrôle – ici un simple oscilloscope – enregistre l'écho sous forme d'une « pointe » durant un silence entre deux bouffées d'émission. La vitesse de l'onde étant connue (c'est celle de la lumière : 300 000 km/s), le temps écoulé entre émission et réception donne la distance de la cible.

② Modulateur → **Transmetteur** → **Antenne**
Receveur → **Modulateur**
Centrale de contrôle
Écran de contrôle

③ Ondes émises → Ondes réfléchies →

④ « Bouffées » d'émission
Écho de la cible
Distance de la cible

① Cible
Ondes émises
Ondes réfléchies
Antenne radar
Station émettrice réceptrice

Un canon de DCA britannique Bofors piloté par radar (à l'arrière).

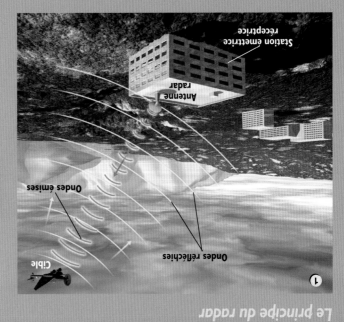

L'ARME SUPRÊME

Einstein, le vieux pacifiste, a tout déclenché. Mais seuls les Américains pouvaient le faire. Car fabriquer la bombe atomique a d'abord été un exploit industriel.

Einstein cause avec Oppenheimer. Le premier a écrit la lettre à Roosevelt qui a tout déclenché ; le second a fabriqué la bombe.

Le savant : Robert Oppenheimer, patron du laboratoire de Los Alamos. Et le militaire : le général Leslie Groves, chef du projet Manhattan.

Décembre 1938 : les Allemands Otto Hahn et Fritz Strassmann révèlent qu'un noyau d'uranium bombardé par un neutron se sépare en deux en libérant de l'énergie : on dit qu'il fissionne.

1939 : Frédéric et Irène Joliot-Curie en France, Enrico Fermi et Léo Szilard aux États-Unis démontrent que cette fission libère deux ou trois neutrons. On entrevoit alors la « réaction en chaîne » (dessin ci-contre) : les neutrons libérés provoquent de nouvelles fissions en percutant d'autres noyaux. Le dégagement d'énergie final serait phénoménal.

Toujours en 1939, le Danois Niels Bohr et l'Américain J. A. Wheeler mettent en évidence que, dans l'uranium naturel, seul l'isotope 235 fissionne. Pour fabriquer la bombe, il faudra donc le séparer du 238, non fissile (c'est-à-dire qui ne fissionne pas) : la tâche n'est pas facile, car le 238 représente 99,3 % de l'uranium naturel.

En août, sous la pression de Léo Szilard et d'Eugène Wigner, physiciens venus d'Allemagne, Einstein écrit à Roosevelt, président des États-Unis. Dans sa lettre, il explicite deux points principaux : les découvertes sur l'uranium peuvent mener à la fabrication de « *bombes extrêmement puissantes d'un nouveau type* » et, « *l'Allemagne a arrêté la vente d'uranium provenant de mines de Tchécoslovaquie dont elle a pris le contrôle* ». Il sous-entends donc que les nazis pourraient mettre au point cette arme redoutable. Branle-bas de combat aux États-Unis. On constitue un comité spécial chargé de développer les recherches sur l'uranium.

1940 : en bombardant de l'uranium de façon particulière, G. T. Seaborg et son équipe créent du plutonium, un autre élément fissile : c'est une seconde piste pour la bombe.

16 décembre 1941 : neuf jours après l'attaque sur Pearl Harbor, les États-Unis décident de se doter de la bombe atomique. Ce projet, nommé « *Manhattan District* », est placé le 23 septembre 1942 sous la direction d'un militaire, le général Leslie Groves.

2 décembre 1942 : à Chicago, la première réaction en chaîne est produite dans la première pile atomique au monde, œuvre d'Enrico Fermi. C'est l'ancêtre des centrales nucléaires civiles. Mais c'est pour une autre raison qu'elle fut construite : en triant ses déchets on trouve du... plutonium. Trois grandes piles sont aussitôt construites pour produire les 10 kg de plutonium nécessaires à la fabrication de deux bombes.

Novembre 1943 : l'usine Y-12 d'Oak Ridge entre en fonctionnement. Son but : fournir de l'U-235 pour la bombe. Pour cela, de l'uranium est injecté dans un champ magnétique créé par de puissants électroaimants. L'U-235, plus léger que le 238, y est plus dévié. Il suffit alors de le collecter. Autre usine construite à Oak Ridge, K-25. L'uranium y est gazéifié, puis pompé à travers des milliers de parois poreuses disposées en cascade. L'U-235 les traverse plus facilement que le 238. L'uranium s'enrichit ainsi d'étage en étage en 235.

Août 1945 : le 6, la bombe à l'uranium détruit la ville japonaise d'Hiroshima ; le 9, la bombe au plutonium ravage celle de Nagasaki. Sous l'effet de l'onde de choc et du souffle, de la chaleur phénoménale libérée et des radiations, de 80 000 à 140 000 personnes meurent à Hiroshima (de 50 000 à 90 000 à Nagasaki), immédiatement ou dans les mois suivants. De nombreux survivants mourront dix, vingt ou quarante ans plus tard de cancers provoqués par les irradiations.

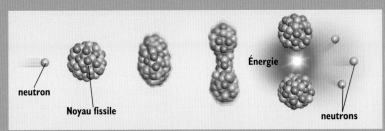

PRINCIPE DE LA FISSION

La bombe atomique exploite le principe de la fission. Un neutron vient percuter un noyau de matériau fissile c'est-à-dire « cassable » (uranium ou plutonium). Le noyau se brise en deux en libérant une grosse quantité d'énergie et une bouffée de neutrons. À leur tour, ces neutrons vont percuter d'autres noyaux, provoquant de proche en proche une « réaction en chaîne ».

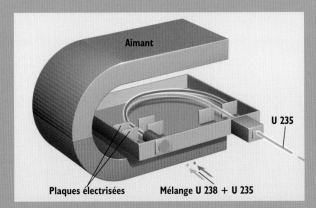

SÉPARER L'URANIUM

Un des trois systèmes de séparation de l'uranium (U) 235 utilisés par le projet Manhattan. À l'état naturel, ce matériau hautement fissile se trouve mélangé à de l'U 238 dont on veut se débarrasser. On injecte ce mélange dans une chambre à vide baignée par un puissant champ magnétique. Le faisceau adopte un rayon de courbure différent selon la masse des atomes. L'U 235, moins dévié car plus léger, est récupéré au centre : c'est lui qui servira à la bombe.

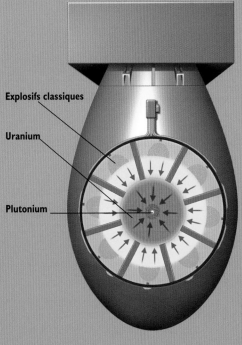

LA BOMBE DE NAGASAKI

Elle s'appelle Fat Man (« gros lard »). Elle utilise du plutonium à la place de l'uranium et son système de mise à feu est différent de celui de Little Boy. À la périphérie, des charges d'explosifs classiques implosent, l'onde de choc comprimant une couronne d'uranium. À son tour, celle-ci vient comprimer une sphère de plutonium peu dense, incapable de s'allumer seule. La compression a pour effet de lui donner la densité voulue pour exploser.

LA BOMBE D'HIROSHIMA

Little Boy (« petit gars »), c'est son nom, pèse 5 t et mesure 3,5 m de long. Au départ, un détonateur télécommandé fait exploser une charge d'explosif classique. Du coup, une masse d'U 235 est éjectée à travers un « canon » ; cette masse n'est pas assez importante pour amorcer une réaction en chaîne. Elle atterrit dans un logement à sa taille creusé dans une seconde masse d'U 235, elle aussi insuffisante pour démarrer la réaction en chaîne. C'est le mariage des deux qui permet d'atteindre la « masse critique » qui, elle, peut exploser.

6 août 1945 : une bombe atomique à uranium rase Hiroshima. Il y aura entre 80 000 et 200 000 morts selon les estimations.

A4, LA MÈRE
DE TOUTES LES FUSÉES

Hergé l'a copiée dans son album *Objectif Lune*. Les ingénieurs s'extasient – à raison – sur sa modernité. Mais elle est aussi une aberration militaire et économique, et un crime contre l'humanité.

1927 : un doux dingue, Herman Oberth, fonde en Allemagne une « Association pour le voyage spatial ». Il y popularise ses idées sur le fonctionnement des fusées à propergols liquides et attire une bande de jeunes exaltés, dont Wernher von Braun.

Le moteur-fusée (voir dessin ci-contre en bas) est conçu pour fonctionner à des altitudes où il n'y a plus d'oxygène. Il l'emporte donc avec lui sous forme liquide (et sous pression), avant de le brûler en compagnie d'un carburant comme l'alcool.

1932 : ces « joujoux » attirent l'attention d'un jeune officier, Walter Dornberger, qui y discerne l'arme de l'avenir. La future Wehrmacht met ainsi la main sur l'équipe d'Oberth, dirigée vers un centre d'essais construit près de Berlin.

1936 : Dornberger lance le programme de la fusée A4 : un engin capable de transporter 1 000 kg d'explosifs à 300 km. L'armée ouvre grand les robinets financiers. Le centre d'essais déménage sur l'île de Peenemünde, dans la Baltique.

1939 : des milliers de tirs expérimentaux permettent aux milliers d'ingénieurs de Peenemünde d'inventer – à partir de rien – toute la technologie dont dépendent encore les fusées actuelles : moteur à alcool et oxygène liquide, guidage par gyroscope, pilotage par jets de gaz, pompe à oxygène liquide (un exploit fabuleux), refroidissement de la chambre par film liquide, etc. Mais, le 1er septembre 1939, Hitler déclare ne pas avoir besoin de l'A4. L'argent n'arrive plus, le programme prend deux ans de retard.

3 octobre 1942 : l'A4 réussit un vol sans faute : pour la première fois le mur du son est franchi.

Juillet 1943 : comprenant son erreur, Hitler décide de donner la priorité à la fabrication industrielle de l'A4, qu'il rebaptise Vergeltungswaffen 2 ou V2 (arme de représailles 2).

Août 1943 : les SS commencent la construction d'une immense usine souterraine dans la montagne du Harz, près de Nordhausen. Dans des conditions épouvantables, des dizaines de milliers de déportés, vivant dans le camp voisin de Dora, construiront 6 000 V2. Vingt mille d'entre eux y laisseront la vie.

8 septembre 1944 : Paris reçoit le premier V2. Mais Londres, Liège et Anvers seront les cibles principales : 15 000 civils seront tués. L'arme est imparable, mais son effet militaire a été quasi nul. Deux cent mille personnes, 3 milliards de dollars (plus que pour la bombe atomique américaine !) y ont été investis en pure perte.

Avril-mai 1945 : les Américains mettent la main sur 100 V2, des centaines d'ingénieurs de Peenemünde et… Wernher von Braun. Ce dernier sera le patron de la NASA et le père de la fusée Saturn V qui, en 1969, débarquera les premiers hommes sur la Lune…

La fusée A4 au décollage.

Photo à gauche, une image de la propagande allemande : des déportés proprets dans l'usine souterraine d'assemblage des V2, à Dora, en Thuringe, au cœur de l'Allemagne. À droite, la réalité découverte par les Américains lors de la libération de Dora en avril 1945 : 20 000 morts...

La fusée V2

① Dans la tête, à 14 m du sol, une charge d'explosifs de 975 kg.

② Emplacement des dispositifs de guidage. Le gyrocompas donne des ordres aux déflecteurs de sortie (13) et aux jets de vapeur (9). Ce « cerveau » de la fusée n'était pas au point, d'où une mauvaise précision (à 10 km près).

③ Réservoir de 5 t d'oxygène liquide.

④ Circuit de refroidissement de l'oxygène. Pour être maintenu à l'état liquide, l'oxygène doit être refroidi à −183 °C (à la pression atmosphérique).

⑤ Réservoir à alcool : 4 t d'un mélange alcool-eau.

⑥ Turbopompe d'oxygène

⑦ Turbopompe d'alcool

⑧ Générateur de vapeur. La vapeur entraîne les deux turbopompes tournant à 5 000 t/min.

⑨ Jets de vapeur pour pilotage. Le générateur de vapeur corrige la trajectoire de la fusée en lui communiquant de petites poussées latérales.

⑩ Refroidissement de la chambre de combustion par circulation d'alcool.

⑪ Chambre de combustion. Oxygène et alcool y brûlent pendant 30 secondes, propulsant les 13 t de la fusée à 5 750 km/h jusqu'à 96 km d'altitude. La suite de la trajectoire se fait en chute libre.

⑫ Injecteurs d'oxygène et d'alcool dans la chambre de combustion.

⑬ Déflecteurs mobiles de sortie des gaz brûlés en graphite résistant aux hautes températures.

⑭ L'empennage aérodynamique assure la bonne tenue du vol pendant 330 km (portée maximum).

Les V2 pouvaient-ils gagner la guerre ?

En aucun cas ! Un V2 pèse 13 t au décollage dont 95 % ne servent à rien ! Seule la charge d'explosifs classiques emportée a un intérêt militaire : mais que représentent 975 kg face aux 7 000 kg largués par un bombardier Lancaster ? Surtout quand on sait que ledit bombardier vaut 8 fois moins cher que la fusée ! Bien sûr, le V2 est invulnérable, mais cet avantage est quasi annulé par son énorme imprécision. Avec leurs connaissances, les ingénieurs allemands auraient pu développer une arme autrement plus utile d'un point de vue militaire : les missiles sol-air et air-air. En 1945, ils en ont construit une douzaine de prototypes différents, certains guidés par infrarouge. Citons le Schmetterling (charge explosive 40 kg, portée 16 km, altitude 15 km, vitesse supersonique) ou l'Enzian (charge 500 kg, portée 25 km) qui auraient certainement rendu impossibles les bombardements alliés de jour comme de nuit s'ils avaient pu être produits en masse.

EN L'AIR ET SOUS LA MER

Priver l'ennemi de ses usines, de ses approvisionnements, casser son moral, bref, lui ôter les moyens de continuer la guerre. Alliés et Allemands ont tenté cette bataille stratégique. Les premiers en l'air, les seconds sous la mer.

Bombardiers alliés et sous-marins allemands ont été deux des armes majeures du conflit.

DEUX MILLIONS
SEPT CENT MILLE TONNES DE BOMBES

C'est ce que les Alliés ont déversé sur l'Allemagne. Après-guerre, les spécialistes ont fait les comptes: 600000 civils allemands tués, 800000 blessés, 8 millions de sans-abri errant dans les ruines des 50 villes détruites à plus de 50%. Malaise moral aggravé par une polémique qui se poursuit toujours : et si ces bombes n'avaient servi à rien?

Bomber HARRIS

Depuis les années 20, la Royal Air Force (RAF) a un credo: des bombardements de masse sur l'économie et les villes ennemies doivent pouvoir, à eux seuls, faire gagner une guerre.

En 1940, la RAF passe aux travaux pratiques, en commençant petit, et seulement la nuit pour échapper aux chasseurs et à la DCA: 16 000 t de bombes larguées sur le Reich, 46 000 t l'année suivante. Résultat: le bide intégral. Les pertes en avions sont énormes, les usines allemandes à peine touchées. La plupart des avions ne trouvent pas leurs cibles, faute de moyens de navigation et de viseurs efficaces, si bien que seulement… 1 % des bombes tombent à moins de 8 km de leur objectif!

Mais Churchill s'acharne. Bombarder est la seule façon de frapper l'Allemagne puisque, à cette époque, l'armée britannique est battue partout. Et puis il faut venger les 40 000 morts du «Blitz» de 1940-1941, Londres et Coventry ravagées par les bombes de la Luftwaffe. Churchill trouve l'homme qu'il lui faut: le maréchal Arthur Harris, vite surnommé «Bomber» Harris, et nommé patron du «Bomber Command» de la RAF.

Les bombardements sont imprécis? Au fond, tant mieux, pense Harris qui croit aux bombardements de «zone»: mieux vaut détruire un quartier qu'une usine et toute une ville qu'un quartier. Objectif: casser le moral des civils par la terreur. Justement, Harris dispose de nouveaux matériels: les

Halifax et Lancaster, quadrimoteurs emportant 6 t de bombes explosives et in-cendiaires. Ces «mulets» arrivent sur l'objectif grâce au système de radioguidage Gee et au radar de suivi de terrain H2S. À partir de mai 42, Harris groupe ses escadrilles de façon à mener des raids de «mille avions». Cologne, puis la Ruhr, Brême, Berlin en font les frais. Hambourg, elle, sera dévastée en 1943 par une nouveauté: la «tornade de feu» déclenchée par les bombes incendiaires au magnésium (*dessins à droite*).

Mais les défenses allemandes se renforcent sans cesse avec l'apparition de la ligne radar Kammhuber (*en haut, à droite*), d'une DCA très dense guidée par radar, et surtout de chasseurs de nuit équipés du remarquable radar Lichtenstein. Au point que les pertes anglaises dépassent de plus en plus souvent la barre des 5 % par raid. Huit cent soixante-douze appareils sont perdus pendant la campagne de la Ruhr (mars-juillet 43), 1 047 pendant celle de Berlin (novembre 43-mars 44). Comme les équipages devaient effectuer 30 missions avant de pouvoir prétendre à un congé, chacun pouvait statistiquement se convaincre… d'être abattu avant la perm'.

ÉCHEC À L'US AIR FORCE

Les Américains entrent dans la danse à la mi-42. Leurs objectifs sont très différents. Ils ne croient pas aux bombardements de terreur «à l'aveugle» de Bomber Harris mais aux raids pré-

L'épouvante sur le visage de cette femme allemande après un raid. En haut, Hambourg en 1945. Question bombardement de terreur, les Anglais ont largement rendu aux Allemands la monnaie de leur pièce.

MER DE FLAMMES SUR HAMBOURG

Du 24 juillet au 2 août 1943, la RAF mène quatre raids nocturnes de terreur contre Hambourg, complétés par deux raids américains de jour. Bilan : au moins 45 000 civils tués dont 8 000 enfants, 60 % de la ville détruite, 1 million de sans-abri. Des circonstances exceptionnelles ont permis ce carnage au prix de pertes modérées (57 avions alliés abattus).

La défense allemande de nuit s'organise autour de la ligne Kammhuber. Des radars de veille Freya repèrent les bombardiers et donnent l'alerte. Derrière, s'échelonne une série de «baldaquins» comportant chacun deux radars de poursuite Würzburg et un chasseur de nuit.

❶ Le premier radar Würzburg «accroche» un bombardier et transmet l'information au contrôleur.

❷ Le contrôleur fait décoller un chasseur suivi par le second radar. Par un jeu de cadres donnant des ordres à ce radar, il amène progressivement le chasseur près du bombardier.

❶ La dernière phase d'approche est assurée par un radar Lichtenstein embarqué sur le nez du chasseur.

❸ Second radar Würzburg

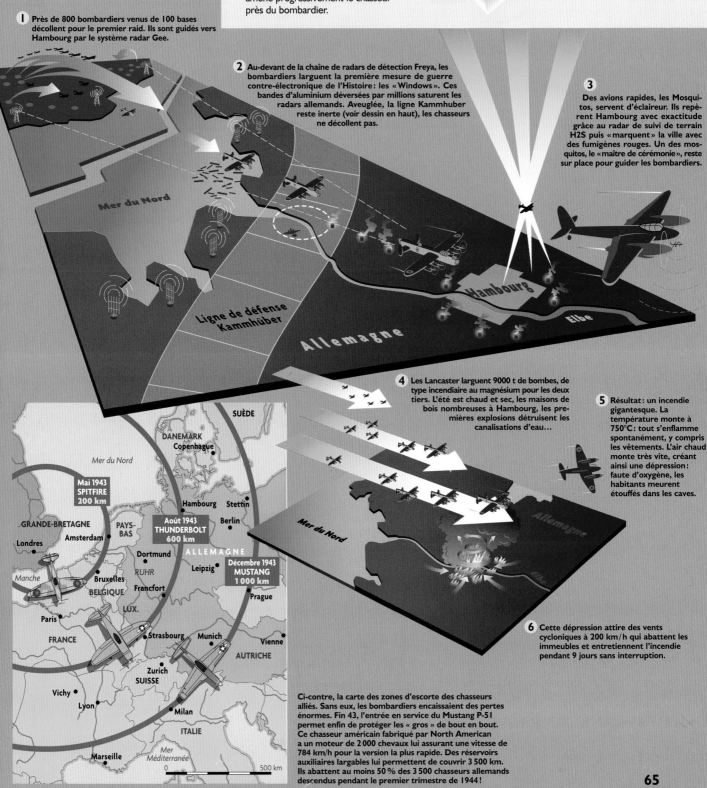

❶ Près de 800 bombardiers venus de 100 bases décollent pour le premier raid. Ils sont guidés vers Hambourg par le système radar Gee.

❷ Au-devant de la chaîne de radars de détection Freya, les bombardiers larguent la première mesure de guerre contre-électronique de l'Histoire: les «Windows». Ces bandes d'aluminium déversées par millions saturent les radars allemands. Aveuglée, la ligne Kammhuber reste inerte (voir dessin en haut), les chasseurs ne décollent pas.

❸ Des avions rapides, les Mosquitos, servent d'éclaireur. Ils repèrent Hambourg avec exactitude grâce au radar de suivi de terrain H2S puis «marquent» la ville avec des fumigènes rouges. Un des mosquitos, le «maître de cérémonie», reste sur place pour guider les bombardiers.

Mer du Nord

Ligne de défense Kammhüber

Hambourg

Elbe

Allemagne

❹ Les Lancaster larguent 9000 t de bombes, de type incendiaire au magnésium pour les deux tiers. L'été est chaud et sec, les maisons de bois nombreuses à Hambourg, les premières explosions détruisent les canalisations d'eau...

❺ Résultat: un incendie gigantesque. La température monte à 750°C: tout s'enflamme spontanément, y compris les vêtements. L'air chaud monte très vite, créant ainsi une dépression: faute d'oxygène, les habitants meurent étouffés dans les caves.

Mer du Nord

Allemagne

❻ Cette dépression attire des vents cycloniques à 200 km/h qui abattent les immeubles et entretiennent l'incendie pendant 9 jours sans interruption.

SUÈDE

DANEMARK
Copenhague

Mer du Nord

**Mai 1943
SPITFIRE
200 km**

Hambourg   Stettin

GRANDE-BRETAGNE   PAYS-BAS   Berlin

Londres   Amsterdam   **Août 1943
THUNDERBOLT
600 km**

Dortmund   ALLEMAGNE

Manche   RUHR   Leipzig   **Décembre 1943
MUSTANG
1 000 km**

Bruxelles   Francfort   Prague

BELGIQUE   LUX.

Paris   Strasbourg   Munich   Vienne

FRANCE   AUTRICHE

Zurich

Vichy   SUISSE

Lyon   Milan

ITALIE

Marseille   Mer Méditerranée   0   500 km

Ci-contre, la carte des zones d'escorte des chasseurs alliés. Sans eux, les bombardiers encaissaient des pertes énormes. Fin 43, l'entrée en service du Mustang P-51 permet enfin de protéger les «gros» de bout en bout. Ce chasseur américain fabriqué par North American a un moteur de 2000 chevaux lui assurant une vitesse de 784 km/h pour la version la plus rapide. Des réservoirs auxiliaires largables lui permettent de couvrir 3 500 km. Ils abattent au moins 50 % des 3 500 chasseurs allemands descendus pendant le premier trimestre de 1944 !

65

Une Forteresse volante américaine B-17 a été touchée par la flak allemande. Pour que les bombardements soient plus précis, les raids devaient se dérouler de jour, rendant les escadrilles plus vulnérables.

cis sur des objectifs stratégiques. D'où des attaques de jour (plus précises) menées à haute altitude par les Forteresses volantes B-17 et les Liberator B-24 qu'on croit capables de se défendre seuls contre la chasse. Objectifs : les usines de roulements à billes, de construction aéronautique, les bases de sous-marins.

Fin 1943, l'échec est évident. Les pertes en avions sont énormes, les dégâts vite réparés par les Allemands, les usines dispersées dans la campagne ou enterrées. La production de guerre nazie ne cesse de grimper. Que faire ?

L'AVION MIRACLE

Au début de 1944, la réponse arrive dans les escadrilles alliées : le P 51 Mustang. Cet extraordinaire chasseur a un rayon d'action qui lui permet de protéger de bout en bout les bombardiers au-dessus de l'Allemagne (*voir page précédente*). Mieux, il peut

attaquer et battre les meilleurs chasseurs allemands, Messerschmitt 109 ou Focke-Wulf 190. De plus, les Américains décident de concentrer leurs frappes sur le point faible de l'Allemagne : le carburant. Dans la première moitié de 1944, les champs de pétrole, les raffineries, les usines d'essence synthétique sont matraqués à mort toutes les semaines. Non contents de protéger les gros, les Mustang abattent des milliers de chasseurs ennemis. Au printemps 1944, la Luftwaffe a cessé d'être une menace. De mai à août 1944, le gros des bombardiers est affecté à l'opération *Overlord*, le débarquement en Normandie. Bomber Harris écume de rage, les Allemands soufflent. Pas pour longtemps. En septembre, le pilonnage des ressources en carburant reprend. Fin 1944, les Allemands n'en ont plus assez pour faire voler leurs avions. Pour la même raison, leurs pilotes ne peuvent suffisamment s'entraîner et se font descendre par milliers. Parallèlement, tous les moyens

de transports sont attaqués, trains, bateaux, péniches. En janvier 1945, l'économie allemande est complètement désorganisée ; la production d'armes s'effondre enfin.

Et pourtant, Bomber Harris persiste. Il continue à réserver plus de 50 % de ses bombes aux civils allemands. Jusqu'à anéantir Dresde le 14 février 1945, ville sans intérêt militaire ou industriel, mais peuplée de réfugiés civils et… de prisonniers de guerre alliés : le nombre des victimes oscille entre 50 000 et 130 000…

LE BILAN

Les pertes alliées sont terribles. 160 000 aviateurs ont laissé leur peau dans la bataille, 40 000 appareils ont été abattus ! L'Angleterre a consacré 40 % de son effort de guerre au bombardement stratégique. Or, explique Philippe Masson, « *l'objectif initial a été manqué. Le bombardement stratégique n'a pu, à lui seul, gagner la guerre. La population allemande a tenu bon, la production d'armes a battu tous ses records jusqu'à la fin 1944 !* » Tous ces morts ont donc été inutiles ? « *Non*, répond Philippe Masson. *Les bombardements des dix derniers mois ont été terriblement efficaces. Ils ont contribué à raccourcir la guerre. Surtout, ils ont obligé les Allemands à affecter 75 % de leur chasse à la défense du Reich, laissant aux Alliés une totale suprématie aérienne au-dessus du champ de bataille.* »

VINGT ET UN MILLIONS DE TONNEAUX ENGLOUTIS

C'est la jauge des 2700 bateaux de commerce alliés coulés par les sous-marins allemands, emportant 50000 marins dans les abysses. En vain: l'Allemagne n'a jamais été en mesure de gagner la bataille de l'Atlantique.

COULER L'ANGLETERRE

L'Angleterre a un talon d'Achille : son ravitaillement. Elle en fait venir une grande partie de l'étranger, par la mer. À partir de 1942, les soldats et le matériel américains vont s'entasser dans l'île pour préparer le Débarquement : eux aussi prennent le bateau. D'où une conséquence évidente : si l'Allemagne veut gagner la guerre, il lui faut prendre la maîtrise de l'Atlantique, couler les navires alliés, étouffer l'économie britannique. Mais comment ?

Hitler et l'amiral Raeder, patron de la marine, croient encore aux cuirassés, aux combats navals classiques. L'amiral Dönitz, lui, pense que l'Allemagne n'a qu'une carte à jouer : ses sous-marins (U-Boot en allemand). Il estime qu'il lui faut couler 600 000 t mensuellement pour abattre l'Angleterre. Pour cela, il a besoin d'une flotte de 300 U-boote. Hitler ne la lui accordera qu'en 1943, trop tard.

LES MEUTES DE LOUPS À LA CURÉE

En 1939, Dönitz n'a que 23 U-Boote capables d'affronter l'océan. Mais l'année suivante, après l'effondrement de la France, l'amiral acquiert un gros avantage stratégique : les ports français sur l'Atlantique. Désormais ses sous-marins n'auront plus à faire l'immense détour par les eaux norvégiennes pour venir rôder dans l'Atlanti-que. Pressentant d'intenses bombardements anglais, Dönitz met ses U-Boote à l'abri dans d'énormes bases bétonnées qu'il fait construire à La Pallice, Bordeaux, Saint-Nazaire, Lorient.

Dönitz a une autre carte dans sa manche : la tactique des « meutes » (*voir dessins page suivante*). Ses services décryptant les communications radio des Britanniques, il connaît à l'avance la route des convois. Il lui suffit d'envoyer par radio à ses loups l'ordre de converger vers le lieu de l'embuscade. Les U-Boote sont peu manœuvrants en plongée mais plus rapides en surface que n'importe quel type de cargo ou d'escorteur de cette époque. Et leur faible hauteur les rend pratiquement invisibles de nuit lors-qu'ils attaquent en surface.

Résultats : 2,5 millions de tonnes de navires alliés coulés en 1940, autant

L'amiral Dönitz, patron des U-Boote. En 1945, les Alliés le condamneront à dix ans de prison pour crimes de guerre.

en 1941, le tout avec une poignée de sous-marins. À lui seul, le capitaine Otto Kretschmer torpille 56 navires, record de toute la guerre.

Le 11 décembre 1941, Hitler dé-clare la guerre aux États-Unis. Dönitz exulte. Enfin, il va pouvoir porter des coups dans tout l'Atlantique, frapper jusque sur les côtes américaines. « *Les Américains ont commis une erreur monumentale,* explique Philippe Masson. *Ils ont fait naviguer leurs navires isolément, et non pas en convoi comme les Britanniques le leur demandaient, ce qui en a fait une proie facile pour les U-Boote.* » Résultat : les six premiers mois de 1942 sont un massacre. Deux millions et demi de tonnes de navires coulés! 800 000 t pour le seul mois de mars. Or, les Alliés estimaient ne pas pouvoir compenser plus de 700 000 t par les constructions nouvelles.

LES ALLIÉS MONTRENT LES DENTS

Mais les Alliés élaborent peu à peu la parade contre les loups. Ils produisent des masses de navires d'escorte dotés d'ASDIC (repérage au son des sous-marins en plongée) et de radars (repérage en surface) : les Anglais en auront 3 200 à eux seuls en 1945 ! La protection aérienne des convois ne cesse de s'étendre grâce aux avions de patrouille, aux bombardiers Liberator à long rayon d'action équipés de radars à ondes courtes : les pilotes sont stupéfaits de voir qu'ils peuvent discerner à 25 km la silhouette d'un U-Boot dans la nuit ! Les avions obligent les loups à plonger, ce qui les rend quasiment stationnaires.

Mais il reste encore au centre de l'Atlantique Nord une zone d'environ 600 km (le « blackpit ») non protégée par l'aviation. Dönitz y concentre ses loups suffisamment nombreux maintenant pour constituer des meutes de 15 à 20 bâtiments. D'août 1942 à mai 1943, ils coulent 841 navires alliés! La bataille de l'Atlantique atteint son paroxysme dans le blackpit au mois de mars 1943. Les vingt premiers jours voient le triomphe de Dönitz. Trente-huit U-Boote attaquent 2 convois et coulent 21 cargos en n'essuyant qu'une seule perte. Les Alliés entrevoient la défaite…

LA MORT DES LOUPS

Sentiment exagéré car les onze jours suivants voient un spectaculaire renversement de situation. Les techniques alliées de défense portent pleinement leurs fruits. Le lance-grenades multiple Hedgehog fait merveille. Des groupes de soutien avec porte-avions d'escorte, les « Hunters killers » (chasseurs-tueurs), pourchassent les U-Boote jusqu'à la mort (*voir dessin ci-contre*). Le puissant radiogoniomètre « Huff-duff » permet d'intercepter les messages entre sous-marins et de guider les tueurs droit dessus. Surtout, les Allemands ne parviennent pas à décrypter le nouveau code des Britanniques : les loups sont aveugles ! Alors que les Alliés, eux, ont cassé les derniers secrets d'Enigma, la machine à crypter des Allemands : ils savent où sont les meutes. À la fin de mai, Dönitz doit retirer ses sous-marins : il en aura perdu 203 dans l'année 1943 !

Après une nouvelle tentative désastreuse en septembre-octobre 43, les U-Boote abandonnent l'Atlantique Nord. L'échec est total : ils n'ont pu interrompre les relations entre l'Amérique et l'Angleterre, ils n'ont pu empêcher les préparatifs du débarquement en Normandie. Dönitz recevra de plus en plus de sous-marins. En vain, ses pertes seront toujours plus grandes. Les loups ne sont plus des chasseurs, ils sont devenus des proies. Sur 1 170 U-Boote en action durant la guerre, 780 furent détruits, tuant – dans des conditions épouvantables – 27 000 marins.

LE SUPER LOUP

Jusqu'à la fin de la guerre, le Type XXI a empêché Churchill de dormir. Heureusement, ce U-Boot révolutionnaire n'est entré en service qu'en avril 1945. Il était si moderne qu'il a inspiré les ingénieurs jusque dans les années 60. Ses lignes et ses batteries étaient spécialement étudiées pour la haute vitesse (18 nœuds pendant une heure) sous l'eau, ce qui lui permettait d'échapper aux escorteurs ennemis. Pour laisser respirer son moteur Diesel, le Type XXI utilisait le Schnorchel, un tube à clapets qui le dispensait de remonter en surface toutes les quatre heures, pour recharger ses batteries, comme ses devanciers devaient le faire. Il pouvait, invisible, parcourir ainsi plus de 25000 km ! Le XXI est de ce fait le premier sous-marin intégral, capable de vivre sous l'eau en permanence. Doté d'un détecteur de radar centimétrique, il savait à l'avance si un avion l'avait repéré. Il lâchait à 50 m. de fond des gerbes de torpilles acoustiques qui se guidaient sur le bruit des vaisseaux ennemis, avec 90 % de coups au but.

LA TACTIQUE DES MEUTES

Les U-Boote patrouillent en ligne dans les zones fréquentées par les convois alliés. Chaque loup surveille un secteur de 70 km de long, ce qui laisse aux convois de bonnes chances de passer inaperçus. Mais, Achtung! convoi en vue…

Q.G. de Dönitz

Le loup « repéreur » prévient son quartier général (à Lorient ou Paris) par radio, puis suit le convoi à la trace, hors de portée des radars des escorteurs.

Repéreur

Le Q.G. appelle les loups à la curée, toujours par radio. Après calcul du cap et de la vitesse du convoi, rendez-vous est donné pour l'embuscade.

Meute

Limite de visibilité nocturne

Un loup s'infiltre dans le convoi. Repéré, il est pris en chasse par les escorteurs (en 1941, 5 escorteurs pour un convoi de 30 navires).

Cargos

Les U-Boote attaquent alors les navires marchands sans défense, de tous côtés, plusieurs nuits de suite.

Escorteurs

LE MASSACRE DES U-BOOTE

En 1943, les Alliés gagnent la bataille de l'Atlantique. Les meutes de loups sont impitoyablement pourchassées par un arsenal impressionnant. Tout commence par la guerre secrète menée par les Anglais…

Un escorteur repère l'émission radio d'un U-Boot grâce au goniomètre Huff-duff. Les émissions lui servent de « rail » littéralement jusqu'à sa cible.

Avions embarqués Swordfish armés de roquettes. Ils se relaient dans la zone jusqu'à ce que le U-Boot émerge pour recharger ses batteries.

Un bombardier Liberator B-24 à long rayon d'action scotche un loup dans le faisceau de son superprojecteur Leigh.

4 … et envoyé au Q.G. naval allié qui appelle un groupe « Hunter killer » à la rescousse.

3 L'ordre est intercepté par les services d'écoute anglais, décrypté…

Détection par radar ASV à 20 km.

Escorteur

1 Un U-Boot en patrouille signale par radio la présence d'un convoi.

Un escorteur crache des grenades sous-marines de 270 kg chargées au TNT. Mortelles dans un rayon de 10 m, jusqu'à 100 m de fond.

Le U-Boot est pris dans le faisceau de l'ASDIC (ou sonar), système de détection par ondes sonores (portée 1500 m à 45°).

Une gerbe de 24 charges Hedgehog explose au contact du U-Boot ou sur le fond.

Torpille aéroportée Fido Mk 24 à tête chercheuse acoustique, capable de plonger à 15 m.

2 Le Q.G. allemand appelle les U-Boote à se rassembler en meute.

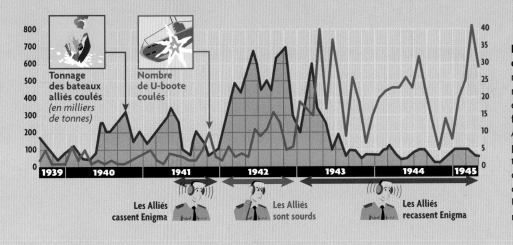

800		40
700		35
600		30
500		25
400		20
300		15
200		10
100		5
0		0

Tonnage des bateaux alliés coulés (en milliers de tonnes)

Nombre de U-boote coulés

1939   1940   1941   1942   1943   1944   1945

Les Alliés cassent Enigma

Les Alliés sont sourds

Les Alliés recassent Enigma

Le graphique est éloquent : les U-Boote n'ont représenté une menace qu'entre juin 1940 et mai 1941, et entre février 1942 et mars 1943. Après cette date, leurs pertes deviennent terrifiantes. Notez que le décryptage des messages codés échangés par les U-Boote fait chuter le niveau des pertes alliées.

CONCEPTION ET REALISATION
TANA EDITIONS
DIRECTION EDITORIALE
JEAN LOPEZ
COORDINATION EDITORIALE
MARC VAN MOERE
CONCEPTION GRAPHIQUE
YANNICK LE BOURG
MAQUETTE
JEAN-CLAUDE MARGUERITE
PIERRE GOURDÉ

ONT COLLABORÉ À CETTE ÉDITION SPÉCIALE
DANIEL BERMONT, LAURENT LEMIRE,
JEAN LOPEZ, PHILIPPE MEHEUT,
PHILIPPE MONGES, ÉMILE SERVAN-SCHREIBER
ET OLIVIER VOIZEUX.

ILLUSTRATIONS
ART-PRESSE, SYLVIE DESSERT,
ISABELLE LUTTER, PATRICK TAËRON
ET OLIVIER VATINE, MICKAEL WELPLY.

INFOGRAPHIES
CATHERINE TOTEMS.

© **TANA 2001, 2004**
ISBN : 2-84567-220-9
DÉPOT LÉGAL : SEPTEMBRE 2004
IMPRIMÉ EN ESPAGNE